D0627033

MARCELINE DESBORDES-VALMORE

IL A ÉTÉ TIRÉ DE CET OUVRAGE SIX EXEMPLAIRES SUR HOLLANDE MARQUÉS A A F ET DIX EXEMPLAIRES SUR ALFA MARAIS NUMÉROTÉS DE 1 A 10.

DU MEME AUTEUR

Les Chimères de Gérard de Nerval. Bruxelles, les Cahiers du Journal des Poètes, 1937 (épuisé).

Manuel poétique d'Apollinaire. Bruxelles, les Cahiers du Journal des Poètes, 1939 (épuisé).

Jeux et Tourments. Poèmes. Bruxelles, la Maison du Poète, 1947.

Gérard de Nerval. Les Chimères. Exégèses. Collection Textes Littéraires français. Genève, E. Droz, 1949.

Guillaume Apollinaire. Textes Inédits. Introduction : La Querelle de l'Ordre et de l'Aventure. Collection Textes Littéraires français. Genève, E. Droz, 1952.

IMPRIMÉ EN FRANCE

MARCELINE DESBORDES-VALMORE

Une étude par Jeanine MOULIN
Inédits, œuvres choisies, bibliographie,
fac-similé, portraits, documents.

Je t'aime et t'embrasse
à deux — Dormez bien !
pense quelquefois à ta
Mère et à ton ancien
Nid où ton Nom est
écrit partout —

M. D. Valmore.

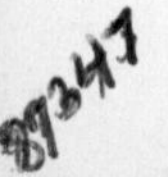

Lettre de Marceline Desbordes-Valmore à sa fille Ondine (inédite).

MARCELINE DESBORDES-VALMORE

par

JEANINE MOULIN

Laissant inachevé l'hymne qu'Amour inspire,
Il faut vers d'humbles soins ramener ses esprits
Mettons aux petits pois l'oiseau cher à Cypris

Voici l'heure où le gril va remplacer la lyre

L'existence de Marceline n'a-t-elle pas inspiré ce dessin de Gavarni ?

VOICI la première femme à pénétrer dans la « Galerie Seghers ». D'aucuns s'étonneront que ce soit Marceline Desbordes-Valmore dont le public ne connaît plus guère que quelques pièces d'un sentimentalisme verbeux : *Le Petit Oreiller, L'Ecolier* ou, dans le meilleur cas, ces *Roses de Saadi* qui fleurissent, à juste titre d'ailleurs, dans toutes les anthologies. Beaucoup ignorent, en effet, qu'elle est aussi l'auteur de *Rêve intermittent d'une nuit triste,* de *Renoncement* et de ce chant consacré aux victimes de la révolution lyonnaise de 1834 qui s'intitule *A Monsieur A.L.,* poèmes d'une vigueur, d'un lyrisme et d'une émotion qui en font l'égale, nous le verrons, des plus grands.

Ainsi arrive-t-il que la réputation d'un poète se fonde sur ses œuvres les moins valables et que certaine forme de renommée l'accable tout autant, sinon bien plus que l'oubli. Comment expliquer cette méconnaissance d'un poète connu ? Est-elle due au fait qu'on ait négligé de réimprimer ses vers ? D'innombrables florilèges attestent qu'il n'en est rien. Mais certains d'entre eux, composés dans des intentions étroitement didactiques, ont éliminé les plus belles de ses pièces ; et les autres, les meilleurs, ceux de Lucien Descaves (1927), de Maurice Allem (1935), de Raymonde Vincent (1947) et d'Yves Gérard le Dantec (1950), ne sont guère répandus, soit qu'ils aient été épuisés en raison même de leur excellence, soit qu'ils aient été publiés avec des conditions de diffusion insuffisantes.

Quant aux œuvres complètes, qui voudrait les relire en serait bien empêché. Des *Elégies* et des *Poésies*, des *Pleurs* et de *Pauvres Fleurs*, de *Bouquets et Prières* et des *Poésies Inédites*, parus entre 1819 et 1860, nous ne possédons plus que les exemplaires originaux, trésors de quelques bibliothèques et de quelques bibliophiles.

La seule réédition de ces recueils, imprimée chez Lemerre en 1886, est tronquée, farcie d'inexactitudes, pratiquement inutilisable.

En 1931, Bertrand Guégan avait entrepris de donner un texte correct, mais il mourut avant de mener sa tâche à bien ne laissant en tout que deux volumes, d'ailleurs admirablement présentés et accompagnés de notes érudites. Souhaitons qu'une main pieuse poursuive un jour ce travail de qualité.

Certes la lecture de l'œuvre entière n'irait pas sans révéler beaucoup de poèmes mal venus et de multiples faiblesses : erreurs de syntaxe, impropriétés, lieux communs et fautes de goût. Marceline, je l'accorde, est souvent négligente et geignarde. Manquant de réserve, elle abuse, à la mode de son temps, des plaintes et des sanglots, de l'interjection et de l'exclamation.

Qu'on lui pardonne : un amour malheureux, cinq maternités, des inquiétudes sans fin et des deuils sans nombre, une misère continue, tel fut le sort de Desbordes-Valmore. Actrice, elle fut soumise aux dures obligations du métier tel qu'il se pratiquait alors : copie des rôles, soin des costumes. Epouse d'un comédien sans talent, elle connut une vie errante qui la mena tour à tour à Bruxelles, à Milan, à Paris et dans les villes de la province française. C'est dans ces conditions que, pour subsister, elle composa des contes, des nouvelles, des romans et douze volumes de poésies dont elle n'eut pas toujours le loisir, tant s'en faut, d'élaguer le style.

Pourtant, malgré les obscurités et les incorrections de son langage, Vigny la proclamait « le plus grand esprit féminin de son temps », Victor Hugo disait qu'elle était « la poésie même », Lamartine l'a louée dans un poème demeuré célèbre et Alexandre Dumas, bouleversé par *Les Pleurs,* voulut préfacer le volume. Enthousiasme à peu près unanime à l'époque, auquel devait se joindre plus tard celui d'un Baudelaire : « Jamais aucun poète ne fut plus naturel, écrit-il dans *l'Art Romantique,* aucun ne fut jamais moins artificiel. Personne n'a pu imiter ce charme, parce qu'il est tout original et natif ». Le misogyne Barbey d'Aurevilly lui-même ne peut contenir son émerveillement : « C'est la passion et la pudeur dans leurs luttes pâles ou rougissantes, s'écrie-t-il, c'est la passion avec ses flammes, ses larmes, j'allais presque dire son innocence, tant ses regrets et ses repentirs sont amers ! La passion avec son cri surtout. C'est, quand elle est poète, la poésie du cri que Madame Desbordes-Valmore » ! Quant à Verlaine, qui dut à Rimbaud la découverte de la petite douaisienne, il remarqua qu'elle avait « le premier d'entre les poètes de ce temps employé avec le plus grand bonheur des rythmes inusités ».

Cette femme qui avait appris avec une étonnante facilité le chant, la harpe et la guitare, écrivit essentiellement pour se délivrer des pleurs qui étouffaient son âme et des mélodies qui l'obsédaient. « Les larmes lui tombèrent dans la voix, écrit joliment Sainte-Beuve, et c'est ainsi qu'un matin l'élégie vint à éclore d'elle-même sur ses lèvres ».

Mais peu initiée aux disciplines de la versification, elle les transgresse avec toute l'audace de l'inconscience. Elle mêle d'instinct en proportions harmonieuses l'alexandrin et l'octosyllabe, elle n'hésite pas devant les difficultés du décasyllabe et du onzain dont elle se sert pour deux de ses plus beaux poèmes (*Le rêve intermittent* et la *Fileuse*) ; et même les mètres brefs de trois, quatre, cinq ou sept syllabes (*Ma chambre* et la *Sincère*) ne lui font pas peur : elle les manie avec une aisance que devait lui envier l'auteur de *Sagesse*.

Mais ce don du rythme est bien l'un des seuls qu'elle possède. Elle ne brille ni par sa culture, ni par une connaissance approfondie du métier poétique, ni même par l'étendue de son imagination.

N'ayant guère lu, elle a subi peu d'influences : celle des classiques qu'elle interpréta à la scène et celle des deux tempéraments poétiques dont elle est fort proche à bien des égards : Chénier, qu'elle rappelle par le sens de la douceur élégiaque, et Lamartine, le « Lamartine, ignorant qui ne sait que son âme », tel que le peint Sainte-Beuve.

D'où vient dès lors ce charme que Baudelaire jugeait inimitable ? Au vrai, il est bien difficile de le dire. Peut-être, en ordre principal, au fait qu'aucun temps ne s'écoule entre le moment où Desbordes-Valmore ressent ses impressions et celui où elle les exprime. En d'autres termes, au fait qu'elle écrit parce qu'elle ne peut pas faire autrement. Nous sommes en présence d'une poésie où les émotions surgissent éparses et confuses, telles qu'elles apparaissent dans leur premier état, d'une poésie de l'immédiat, toute vibrante encore de la transe qui l'a fait jaillir.

De là l'authenticité des accents valmoriens. C'est ainsi que cette poétesse qui se soucie fort peu de bien dire arrive, par instants, mieux que tout autre poète de son époque, à rendre l'indicible.

Mais dans ces conditions, tout dépend de l'intensité du sentiment qui l'anime et de l'afflux d'expressions poétiques qui s'accordent pleinement avec ce sentiment. C'est pourquoi envahie par la nostalgie de son enfance, elle en restitue parfois les personnages avec une parfaite sûreté de trait. Tel ce portrait de vieille fileuse :

Elle allait chantant d'une voix affaiblie,
Mêlant la pensée au lin qu'elle allongeait;
Courbée au travail comme un pommier qui plie;
Oubliant son corps dont l'âme se délie.

Emerveillée par l'amour naissant, elle écrit :

L'ombre est si belle où m'attire ta main...

Ardente de passion, elle fait retentir ce cri digne de la Religieuse Portugaise :

...Mon jeune âge était ivre
De l'orage enfermé dont la foudre est au cœur.

Exaltée par la tendresse que lui inspirent ses petits, elle trouve pour son livre d'heures de mère ces enluminures :

Beaux enfants! tout pétris de baisers, de prières!
Faibles cygnes tombés des célestes bruyères,
Au duvet encor chaud de la main du Seigneur,
Et qui ne voulez pas ramper vers le malheur...

Amie, enlacée à des guirlandes de souvenirs, elle soupire :

C'est là que j'ai vu Rose Dassonville,
Ce mouvant miroir d'une rose au vent.

Pleureuse des victimes des révolutions, sa pitié amplifie l'écho de ses chants :

Quand le sang inondait cette ville éperdue,
Quand la bombe et le plomb balayant chaque rue,
Excitaient les sanglots des tocsins effrayés...

Ayant fait de son amour bafoué et de ses angoisses maternelles une grande pitié pour les miséreux et pour les humiliés, Marceline fut cette « Notre-Dame des Pleurs, patronne des cœurs blessés d'amour, auxiliatrice des pauvres et des affligés » dont parle Lucien Descaves.

Le rayonnement de sa poésie provient en grande partie de sa bonté et de son indulgence ; c'est par ces qualités qu'elle comprit, dans les dernières années de sa vie surtout, la figure du Christ dont elle grava l'effigie en ces termes inoubliables :

Lui dont les bras cloués ont brisé tant de fers...

De ces vers que j'ai cités et que Valéry appelait « donnés » nous en rencontrons beaucoup dans son œuvre (1). Egrenons-en quelques-uns :

« *Laissez pleuvoir, ô cœurs solitaires et doux!...*

« *J'ai dit, ce que jamais femme ne dit qu'à Dieu...*

« *Jours heureux pleins de bruits que nuls bruits ne défont!...*

« *O mes palais natals qu'on m'a fermés souvent!...*

« *Et, douce, elle s'enferme au linceul de ses fleurs...* ».

---

(1) Robert de Montesquiou en a réuni un album à la suite de l'étude qu'il a consacrée à Desbordes-Valmore, *Félicité*.

Ils sont nés d' « un cœur de génie », vivant jusqu'à l'extrême toutes les expériences que lui apporta le destin. Celles-ci furent nombreuses : aussi les thèmes de l'inspiration valmorienne — l'enfance, l'amour, la maternité, l'amitié, le sens de la solidarité humaine, la mort et Dieu — offrent-ils une diversité dont on ne rencontre que peu ou pas d'équivalent dans la poésie féminine. Pour en pénétrer toute la signification et toute la grandeur, il convient de narrer, ainsi que je vais tenter de le faire, l'existence d'un poète dont tous les biographes — Sainte-Beuve et Arthur Pougin, Benjamin Rivière et Boyer d'Agen, Lucien Descaves et Jacques Boulenger — reconnaissent qu'elle est la source majeure de son lyrisme.

Chemin faisant, je serai peut-être amenée à détruire certaines images chères aux desservants de la chapelle valmorienne : la jeune fille séduite par un lâche suborneur, l'épouse fidèle à un homme égoïste et médiocre, autant d'idées préconçues qu'il faut nuancer à la lumière des documents découverts au cours de ces dernières années.

En fait, l'amant qu'elle rencontra à 22 ans ne manquait ni de sensibilité ni de grandeur, le mari ne fut pas sans générosité et Marceline enfin, quels qu'aient été sa candeur et son pouvoir de compassion, ne fut pas toujours cette personnification de toutes les vertus qu'on nous a trop souvent présentée. Mais pécheresse, elle racheta ses fautes par une vie de pauvreté, d'humilité et de souffrances et par une poésie qui est avant tout un acte d'amour.

N'a plus pouvoir dormir tout près toi dans cabane,
Sentir l'air parfumé courir sur bouche à toi,
Gagner plaisir qui doux passé mangé banane,
Parfum là semblé feu qui brûler cœur à moi.

EN 1801, un navire quitte Bordeaux à destination des Antilles. Seules passagères à bord, une femme à l'opulente chevelure blonde et une enfant de quinze ans, Catherine Desbordes et sa fille, Marceline se regardent avec effroi. La France est en guerre avec l'Angleterre et les frégates de Nelson donnent la chasse aux bâtiments qui portent les couleurs de la République.

La frêle embarcation qui emmène les voyageuses résistera-t-elle à une traversée de l'Atlantique, qui, à l'époque, ne dure pas moins de quarante jours ? Certaines nuits, le vent tord les voiles et les couche au ras des flots. « Nous nous regardions avec épouvante, écrira plus tard Marceline, comme si nous ne nous reconnaissions plus ; elle me serrait le bras, elle me collait contre elle à chaque roulis de cette maison mouvante, fragile et inconnue, dont les mouvements la faisaient malade à la mort ».

Comment ces deux femmes se sont-elles jetées dans pareille aventure ?

Ruinés par la Révolution, les Desbordes qui habitent Douai ont vu la gêne s'installer à leur foyer Un. mari sans ressources, quatre enfants à élever, il n'en a pas fallu plus pour que Catherine, mère « courageuse et imprudente », entreprît de demander aide à un cousin, propriétaire de plantations à la Guadeloupe. Par pitié, Marceline l'a suivie. Il y a deux ans déjà qu'elles ont quitté Douai. Tout ce long laps de temps a été nécessaire pour rassembler le pécule du voyage. Et ici encore, la petite s'est sacrifiée.

Sur les conseils d'une amie lilloise, Madame Desbordes a fait monter sa fille sur les planches. La pauvre gosse a donc été de ville en ville, jouant chaque soir, pour un misérable salaire : Lille, Rochefort, Bordeaux, Pau, Toulouse, Tarbes et Bayonne, sont les étapes de son chemin de croix. A Bordeaux, le théâtre fait faillite et lorsque Marceline réclame son dû, la directrice de la troupe la paie d'un soufflet. Sans la générosité d'une voisine, les deux femmes seraient mortes de faim.

A Bayonne, une dame compatissante avance enfin aux malheureuses quelque argent. C'est ainsi que la mère et la fille ont pu s'embarquer pour cette expédition dont doit dépendre le sauvetage de la famille.

Quand les flots se calment, elles montent sur le pont écouter les récits du timonier et les chants des matelots. Bientôt on atteint le courant des Canaries, puis la mer des Sargasses. La ligne des tropiques une fois franchie, c'est le monde des merveilles, des animaux inconnus — frégates aux ailes puissantes ou poissons volants — et la magie des couleurs violentes sous un ciel sans nuages. La gamine respire le parfum de vanille des vents alizés et remplit ses yeux de visions qui lui inspireront un jour les descriptions de son premier roman *La Veillée des Antilles* (1821) : « La mer s'offre alors dans toute son étendue, écrira-t-elle, avec une majesté qui suspend la respiration. Les rochers qui s'élèvent de son sein semblent se séparer avec respect pour laisser passer plus librement ses flots, et l'on ne voit au loin les vaisseaux qui la couvrent que comme des petits oiseaux, entre elle et les nuages ».

C'est vraisemblablement à la fin de 1801 que le bateau atteint les Antilles. Mais, depuis le mois d'octobre, la Guadeloupe est à feu et à sang. A la Pointe à Pitre, les nègres et les mulâtres soulevés contre les colons, égorgent les blancs, dévastent les demeures et les plantations. Le cousin des Desbordes est mort, sa veuve, ruinée, s'est enfuie. Une épidémie de fièvre jaune ravage l'île. Catherine Desbordes en meurt, elle avait 41 ans à peine.

Marceline demeure seule, sans secours, au milieu des derniers grondements de la révolte. Heureusement, une jeune veuve la recueille. Peu de temps après, tandis que la fillette tresse ses cheveux dans sa chambre, un tremblement de terre la renverse. C'en est trop. Terrifiée, elle veut quitter au plus tôt cette « île mouvante ». Dans son bref séjour, elle n'aura pu qu'entrevoir Saint Barthélémy, ses demeures riantes, les arbustes variés qui s'enlacent comme « une longue chaîne » au-dessus du sol brûlant. Pourtant, jamais elle n'oubliera la douceur antillaise, la grâce des créoles qui ont « comme les palmiers de cette contrée, un léger balancement qui repose leur marche égale et rêveuse » ; elle a goûté leur parler zézayant, dont ses poèmes rendront un jour le gazouilli :

Véni sous bananiers, nous va trouvé z'ombrage;
Pétits oiseaux chanter pendant nous fait l'amour.
Soleil est jaloux moi, li caché sous nuage,
Mais trouvé dans yeux toi l'éclat qui passé jour.

Quel que soit le charme des Iles, elle ne songe toutefois qu'à rejoindre le bercail. En vain essaie-t-on de la retenir.

Elle s'embarque à bord d'un navire marchand ne recelant à bord d'autres provisions de bouche que « quelques pièces de bœuf et des biscuits à rompre au marteau ».

Il fait nuit lorsque le bateau quitte la Basse-Terre pour la France : « l'eau, sans horizon, écrit-elle, étendait sa surface immense, noire et luisante sous la lune, qui s'y multipliait dans chaque lame errante... ».

Le retour vaut l'aller. Une épouvantable tempête secoue le navire. L'enfant refuse de quitter le pont. Comme Chateaubriand, elle se fait lier dans les haubans pour assister au spectacle des flots déchaînés. Les matelots étonnés par tant de courage la prennent en affection et la protégeront contre les entreprises du capitaine, vieille brute alcoolique qui se vengera en retenant la petite malle de l'orpheline, pour prix de la traversée.

La fin du voyage s'accomplit sans encombre et l'adolescente débarque à Dunkerque. En deux années, elle a enduré coup sur coup la misère, le spectacle d'une révolte, d'une épidémie et d'un tremblement de terre. Elle a perdu sa mère.

Tel est le prologue d'un destin romantique voué à la tourmente. Celle qui l'a vécu en est d'autant plus bouleversée qu'elle sort du calme flamand d'une petite ville, d'une enfance quiète dont ses vers nous ont légué le souvenir.

Ce monde était le mien quand, les ailes aux vents,
Mon âme encore oiseau rasait les jours mouvants.

C'EST au n° 32 de la rue Notre-Dame à Douai où habitaient les Desbordes que Marceline est née, le 20 juin 1786.

Maison de la naissance. ô nid, doux coin du monde !
O premier univers où nos pas ont tourné...

Située près de l'hostellerie de l'Homme Sauvage et du cimetière attenant à l'église Notre-Dame, la modeste demeure n'a qu'un étage. Trois fenêtres en façade et deux mansardes sur le toit. Au-dessus de la porte verte, une statuette de Madone, éclairée les jours de fête par un lumignon. Le corridor qui traverse la maison conduit à la cour où se dessine un puits « emmantelé de mousse et de gazon » et un escalier de pierre menant à un pavillon plein de fleurs.

Dans la salle commune, la mère vaque à ses occupations, tout en surveillant sa couvée : Cécile, Eugénie et Félix. Marceline, la cadette, assise sur une petite chaise essaie de bourrer sa poupée de gâteau.

Fille de fermiers flamands, Catherine a le goût de l'ordre. Elle range avec amour le linge de toile dans de massives armoires et parsème le carreau fraîchement lavé de sable fin. Une vieille toute osseuse l'assiste dans sa tâche. Elle circule à pas feutrés, revêtue d'un tablier noir dans la poche duquel cliquettent un dé, l'étui aux aiguilles et son crucifix. C'est Barbe Quiquerez, la mère-grand.

D'origine espagnole, elle avait épousé un horloger ambulant, d'ascendance genevoise, Antoine Desbordes. A sa mort, elle s'est fixée chez l'un de ses fils, Félix, le père de Marceline. Peintre d'armoiries, de voitures, d'enseignes et d'ornements d'église, celui-ci exerce une profession qui, bien que modeste, met la famille à l'abri du besoin. Homme de devoir, il ne vit que pour ses enfants et pour sa blonde épouse, dont il est fort épris. « Nous étions bien ensemble », s'exclamera Marceline dans un de ces romans, l'*Atelier d'un peintre,* où j'ai recueilli ces souvenirs. Et c'est vrai. Elle a gardé de ces années, le goût de la tendresse et de l'union qui feront d'elle une compagne pleine de sollicitude et une mère parfaite.

Dès son jeune âge, la fillette ne supporte ni la discorde, ni les peines d'autrui. Toute infortune la fait pleurer « comme une vigne coupée ». Et loin de la gronder, ses parents encouragent ce penchant à la pitié et à la charité que reflétera un jour sa poésie.

L'enfant ne connaît d'ailleurs aucune contrainte. L'étude tient dans sa vie peu de place. Elle est avant tout « la buissonnière » aux jambes vigoureuses qui s'élance, dès le matin, à la découverte des passereaux, des ramiers et des abeilles, « ces gouttes de soleil... ».

Suivons-la. Les alexandrins au rythme pressé d'*Un ruisseau de la Scarpe* nous diront ses courses haletantes, autour des remparts de Douai et le long de l'onde « où s'étale le cresson vert » :

Ecoliers de ce temps, troupe alerte et bruyante,
Où sont-ils vos présents jetés à l'eau fuyante ?

Le livre ouvert, parfois vos souliers pour vaisseaux,
Et vos petits jardins de mousse et d'arbrisseaux ?

Mais il faut reprendre le livre « trop lourd » et se hâter vers l'école pour attendre le moment où sonnera l'heure des jeux, l'heure de goûter, dans les enclos débordants de verdure, au miel, aux cerises et aux pommes sûres (*Tristesse*), l'heure de tresser des guirlandes, en compagnie de Marie-Rose Dassonville et d'Albertine Gantier, amies trop tôt défuntes dont Marceline couronnera un jour la mémoire de ses vers les plus limpides (*La rose flamande* et l'*Amie*).

Le soir la ramène vers la maison « au puits large et dormeur », vers la douceur des affections familiales (*La maison de ma mère*). C'est alors que Cécile, la sœur aînée admoneste l'insouciante gamine, la prend sur ses genoux pour lui enseigner à lire dans le Livre Sacré. Mais l'enfant préfère les pages flamboyantes des vitraux de Notre-Dame où vivent les Saints des Ecritures. Chaque jour, elle pousse le vieux porche et va s'agenouiller aux pieds de Dieu pour lui confier ses espoirs ou ses frayeurs de gosse :

Si vous avez peur lorsque la nuit est noire,
Vous direz : mon Dieu, je vois clair avec vous !
Vous êtes la lampe au fond de ma mémoire ;
Vous êtes la nuit, voilé dans votre gloire ;
Vous êtes le jour et vous brillez pour nous !

Années de ferveur et de confiance : « Quand vivre était le ciel ou s'en ressouvenir ! », années où tout était simple, même la sagesse qu'une fileuse de Douai enseignait dans ses chansons (*La fileuse et l'enfant*).

Accueillir les fruits et les fleurs, comme des dons du Seigneur, vénérer ses parents, faire l'aumône, refuser « les gloires défendues », fréquenter l'humble chapelle, accorder le rythme de sa vie avec celui de la nature :

Les ramiers s'en vont où l'été les emmène;
L'eau court après l'eau qui fuit sans s'égarer...

tels étaient les préceptes que la vieille chantonnait auprès de son rouet. Et Marceline retint ces couplets qui lui donnaient la paix du cœur.

Sa pensée se tournera toujours vers ce monde de l'enfance, source de réconfort où elle a puisé ses chants les plus purs et sans doute les plus originaux. De ces joies si promptes à s'effacer, elle retrouvera les couleurs et les parfums comme si elle ne s'en était jamais éloignée, comme si cette faculté de s'émerveiller, que la plupart des êtres perdent en cours de vie ne s'était jamais affaiblie. Desbordes-Valmore est l'unique exemple d'un poète qui ait gardé jusque dans sa vieillesse une âme d'enfant. Aussi les vers inspirés par le regret de « la natale » dépassent-ils en émotion ceux que les romantiques ont composé sur le même sujet. D'autre part, ils révèlent le tempérament de la flamande, s'extasiant devant les maternités :

Puis, le soir, on voyait d'une femme étoilée
L'abondante mamelle à vos lèvres collée...

et peignant avec amour le jeu des couleurs: « l'ombre noire » que déversent l'orme et le tilleul, la clarté verte que projette le feuillage sur le pavé, la blancheur des ramiers qui semblent « en plein jour, de filantes étoiles ».

Ce qui fait le charme des petites villes du Nord, quelqu'un l'a fort bien dit « c'est la monotonie des journées, c'est la lenteur silencieuse du temps, c'est une vie bien ordonnée et, de nuances comme de couleur, pareille aux âmes qui ont à l'accomplir » (1), c'est aussi la fidèle observance des traditions.

Sur la toile grise de la vie quotidienne, fêtes et cérémonies prennent un relief saisissant.

En juillet, un cortège carnavalesque composé d'arbalétriers, d'archers de Tournai et d'Arras, fleuri d'étendards et de rubans, accompagne Gayant (2), le sire de Cantin qui délivra Douai d'une attaque des Normands. Marceline et ses sœurs le suivent tandis que les parents achètent des bonshommes de pain d'épice et boivent de la bière dans les estaminets. Réjouissance typiquement flamande, haute en couleurs, riche en mangeaille.

Mais rien cependant ne vaut l'atmosphère des réunions familiales.

Le jour des Saints Innocents, les enfants portent le costume des parents et peuvent commander à leur fantaisie. Félix Desbordes qui est directeur des pauvres de la paroisse reçoit la visite des mendiants. L'un d'eux roule des yeux méchants, heurte le sol de son bâton et chante un refrain qui effraie la fillette.

Douq! douq! ei r'douq! — Eh! qui va là?
Qui frappe si fort à ma porte?

Mais celle-ci se rassérène dès qu'elle voit les pigeons et les pommes rouges que lui apportent les miséreux.

Epoque pleine de souvenirs lumineux à laquelle vont succéder les heures sombres de la Révolution.

Lorsqu'en 1792, Joseph Lebon fait régner la terreur dans les provinces du Nord, Douai n'est pas épargné. M. Goguil-

(1) Cf. André Beaunier : *Visages de Femmes.*
(2) Déformation du mot géant.

lon, le curé de Notre-Dame, a refusé le serment : le porche de son église est détruit. Les statues gisent dans l'herbe haute du cimetière.

Certains offices tel celui du crieur de nuit ont été supprimés. Néanmoins, les bonnes gens de Douai, le premier effroi passé, sont revenus peu à peu à l'ancien ordre des choses. Et l'orgue de Notre -Dame a même retrouvé sa voix.

Sous le Directoire, on recommence à fêter avec éclat les saints du calendrier. Le jour des Rois, grand branle-bas à à la rue Notre-Dame ! Toute la famille est réunie dans la salle à manger autour d'une table couverte de verres étincelants, de pots de bière et de dames-jeannes remplies de vin.

Marceline est admise au festin. L'oncle Constant Desbordes qui étudie l'art de la peinture à Paris est revenu au pays, pour la plus grande joie de sa nièce. « Le roi boit! ». Les rires se déchaînent, tant et si bien qu'attiré par le bruit, l'ancien crieur de nuit, qui sort de quelque cabaret, s'arrête devant la fenêtre. Oubliant que son métier est interdit, il hurle son ancienne complainte : « Eveillez-vous, gens qui dormez ». Est-ce de saisissement ou d'avoir fait bombance ? Un parent des Desbordes, qui avait été élu fou du Roi, se sent mal, roule des yeux hagards et tombe mort. Marceline n'oubliera jamais la lugubre mélopée, dont un de ses poèmes prolongera l'écho :

Eveillez-vous, gens qui dormez;
Sur vos toits minuit passe et pleure;
Priez Dieu, s'il vous plaît! c'est l'heure,
Pour les morts qui vous ont aimés;
Eveillez-vous! gens qui dormez.

Ce repas mi-jordanesque, mi-ensorien sera l'une des dernières réunions de famille, car la misère ne tardera pas à s'installer au foyer.

Si la Révolution n'a pas effacé toutes les traditions, elle n'en a pas moins ruiné les Desbordes. Les nobles ont émigré. Plus de calèches à peindre, plus d'armoiries à redorer. Les ressources s'épuisent. C'est alors que Félix reçoit une lettre de Hollande. Elle porte la signature de deux grands-oncles célibataires qui ont fait fortune dans la librairie, à Amsterdam. Ils offrent à leurs petits-neveux une riche succession ; mais à la condition formelle que ceux-ci embrassent le protestantisme.

Quelle tentation ! On discute, on pleure, puis finalement on refuse « dans la peur, dira Marceline, de vendre notre âme ». Cependant, au contact d'une gêne grandissante, l'exaltation née de ce sacrifice ne tarde pas à se dissiper. La discorde se glisse dans le ménage autrefois uni. Et c'est ainsi qu'après avoir agité maints projets chimériques, Catherine a conçu celui d'entreprendre le lointain voyage dont nous connaissons le dénouement.

Ce n'est pas sans raison que la poésie valmorienne reflète une âme irrémédiablement blessée et soumise à l'idée du malheur. Marceline passa sans transition aucune d'une enfance heureuse à une existence de douleur. Perte de sa mère, pauvreté, amour déçu, mort de quatre de ses cinq enfants, tous ces drames la ravagèrent d'autant plus que sa vie avait commencé par « la blanche préface » des années douaisiennes.

D'où, peut-être, la poignante nostalgie qui s'exhale de la *Fleur du Sol natal* et de *Tristesse* :

> *Quel effroi de ramper au fond de sa mémoire,*
> *D'ensanglanter son cœur aux dards qui l'ont blessé.*

poèmes où se dessine sans cesse le visage d'Albertine, la première amie, morte dans son jeune âge. Cette figure mi-réelle, mi-rêvée, proche de l'Adrienne de Nerval, symbolise à la fois le bonheur passé et le bonheur reconquis dans l'au-delà, deux bonheurs qui, dans l'esprit de la poétesse, se ressemblent.

Oui, tu ne m'es qu'absente, et la mort n'est qu'un voile.
Albertine! et tu sais l'autre vie avant moi.
Un jour, j'ai vu ton âme aux feux blancs d'une étoile;
Elle a baisé mon front, et j'ai dit : « C'est donc toi! ».

Mais si profonde que soit la mélancolie qu'éveille le souvenir du paradis perdu de l'enfance, c'est à sa lumière cependant que Desbordes-Valmore retrouve des raisons de vivre et d'espérer. A soixante ans, dans un des moments les plus durs de son existence, elle écrira ce *Rêve intermittent d'une nuit triste* qui évoque si bien le pays natal et le désir d'y envoyer sa fille, « sa vive et blonde enfant » :

O champs paternels, hérissés de charmilles
Où glissent, le soir, des flots de jeunes filles.
Que ma fille monte à vos flancs ronds et verts.

Comme tous les poèmes inspirés par le thème de l'enfance, celui-ci exprime les plus profondes aspirations de cette petite fille de fermiers, son goût de la santé et surtout son amour de la nature.

Ce sentiment, toutes les femmes-poètes l'ont toujours chanté avec une inégalable ferveur.

Entre les paysages voluptueux d'une Renée Vivien, les parcs luxuriants d'une Anna de Noailles, les sauvages enclos de Colette et les jardins paternels hérissés de charmilles de Marceline, il semble qu'il n'y ait point de commune mesure.

Et pourtant si ! On découvre dans les pages de ces écrivains une même joie concrète et saine de communier avec la terre, un même ruissellement de sensations visuelles et olfactives qui rend la nature étonnamment présente.

Ruisseaux aux « bulles de topaze » et lacs « aux poissons dormeurs tapis dans les fougères », « charme des blés mouvants » et « bleuets ouverts en signe de couronne », « antiques noyers » et collines « à la robe veloutée », tout cet univers valmorien empli de couleurs, d'air vif, de cris d'oiseaux, qui ne s'y évade avec délice, dans un frais oubli de l'heure qui passe, dans le désir de savourer une fois encore les fruits de l'enfance, de retrouver la pureté, ce premier don de Dieu dont la petite douaisienne garda toujours la nostalgie :

Innocence ! innocence ! éternité rêvée,
Au bout des temps de pleurs serez-vous retrouvée ?

L'infortune m'ouvrit le temple de Thalie,
L'espoir m'y prodigua ses riantes erreurs;
Mais je sentis parfois couler mes pleurs,
Sous le bandeau de la Folie.

DÈS son retour d'Amérique, Marceline regagna Lille et s'engagea au théâtre où elle avait débuté. Une représentation fut donnée au bénéfice de « la jeune Desbordes échappée aux massacres de la Guadeloupe ».

Munie de quelqu'argent, elle put donc rejoindre Douai où son père et ses sœurs vivaient péniblement. Son frère, Félix était aux armées.

Elle commença par accepter des travaux de couture, mais il ne la payaient guère de sa peine. Aussi dut-elle se résigner à remonter sur les planches ; et ce métier qu'elle avait choisi en désespoir de cause, elle devait l'exercer pendant près de vingt ans. Elle allait paraître successivement à Douai (1802), à Rouen (1803 et 1806), à l'Opéra-Comique où Grétry la fit entrer (1804), à Lille (1806), au Théâtre de la Monnaie de Bruxelles (1807), à l'Odéon (1813), puis à nouveau à la Monnaie (de 1815 à 1819) et enfin à Lyon (1821).

Rude labeur que celui de comédienne à une époque où les déplacements de ville en ville, par diligence ou par coche d'eau, duraient des semaines. Le soir, on jouait, le jour, il fallait recopier les rôles, les apprendre et arranger les pauvres robes afin de leur redonner un semblant d'éclat. Et tout cela pour gagner quelques sous. « On me jetait des bouquets, écrira Marceline, et je mourais de faim ».

Ce n'est pas qu'elle manquât d'engagements : la diversité de ses dons lui permettait d'aborder l'opéra aussi bien que la tragédie et la comédie.

Sa voix peu étendue, il est vrai, mais d'une grande pureté convenait particulièrement à la musique de Rossini, de Grétry et de Spontini. *Le Tableau parlant*, le *Barbier de Séville* et *Julie ou le Pot de fleurs* comptèrent parmi ses meilleures créations.

En 1818, au Théâtre de la Monnaie de Bruxelles, elle joua aux côtés de Mademoiselle Mars et de Mademoiselle George dans *Phèdre* et dans *Britannicus*.

Mais c'est surtout à la comédie qu'elle se consacra, interprétant Fabre d'Eglantine (*Le Philinte de Molière*). Marivaux (*l'Epreuve nouvelle*) et Molière (*L'Ecole des Femmes*), ainsi que le répertoire en vogue à l'époque : *L'Honnête criminel, Le vieillard et les jeunes gens, Misanthropie et repentir*, autant de pièces dont le caractère moralisant et sentimental plaisait au cœur particulièrement sensible du public de l'époque. Tous les témoignages de ses contemporains affirment le succès de l'actrice.

Elle avait, au dire de certains, un physique agréable, mais on l'aimait, selon ses propres mots, « pour autre chose qu'une grande beauté ».

Ses portraits révèlent en effet une tête trop forte, un nez trop important et une bouche trop grande. Par contre, tous font ressortir l'éclat de la chevelure châtain, le teint mat qui rappelle les origines espagnoles et surtout cet air de mélancolie qui lui donnait une grande puissance de séduction.

Quoi qu'il en soit, c'est à un visage plus expressif qu'harmonieux et au talent que lui reconnaissent tous les critiques de l'époque, que Marceline dut ses réussites. Sainte-Beuve écrit qu'elle était « l'ingénuité même » ; il ajoute que « sa vérité d'inflexion rendait sa pensée transparente et les endroits comiques très saillants ».

Le *Journal des Débats* de 1805 vante sa simplicité, son aisance, son naturel et ne craint pas de la comparer à Mars, tandis qu'un autre journal la propose pour modèle à plus d'une actrice du Théâtre Français.

Les feuilles belges ne sont pas moins élogieuses.

En 1815, lorsque Marceline reparut au Théâtre de la Monnaie à Bruxelles, le Congrès de Vienne venait de décider la réunion de la Belgique à la Hollande. Les visites princières se multipliaient. La Monnaie donnait des galas en l'honneur du roi des Pays-Bas et du roi de Prusse. Mademoiselle Desbordes joua même devant le Czar (1). Et à cette occasion comme toujours elle plut par son don de présence, par une grande variété d'intonations et par une grâce qui faisaient oublier la faiblesse de sa voix. Elle charmait surtout dans le personnage de la fiancée candide ou de l'épouse infortunée : la *Claudine de Florian,* de Pigault-Lebrun ou l'Eulalie de *Misanthropie et Repentir.* Sa sensibilité arrachait de véritables sanglots.

Un plaisantin qui avait entendu parler de ce « succès larmoyant » et qui l'attribuait à « l'engouement du parterre », décida de l'entendre. Pour étancher les pleurs qu'allait verser l'assistance, il étala sur le rebord de sa loge « une couple de mouchoirs » ; mais il fut pris à son propre jeu. Peu à peu

---

(1) Cf. Carlo Bronne : *Esquisses au crayon tendre,* p. 52.

l'émotion le gagna et il finit par se servir de ses mouchoirs pour son propre usage (1).

Toute autre femme que Marceline se serait attachée à une profession qui ne lui valut que des louanges. Mais « de gloire peu jalouse », elle ne vit que les inconvénients du métier. Elle fut surtout frappée par le préjugé de l'époque qui la reléguait, elle et ses semblables, au ban de la société :

Le monde où vous régnez me repoussa toujours;
Il méconnut mon âme à la fois douce et fière;
Et d'un froid préjugé l'invincible barrière
Au froid isolement condamna mes beaux jours.

écrit-elle dans un poème dédié à une actrice de ses amies.

Un homme « bien-né » n'épousait pas, en ce temps-là, une comédienne. Elle le savait et son âme de jeune bourgeoise, issue d'une famille respectable, se révoltait :

Dans ces jeux où l'esprit nous apprend à charmer,
Le cœur doit apprendre à se taire;
Et lorsque tout nous ordonne de plaire,
Tout nous défend d'aimer.

Gagner son pain et si peu, en faisant un métier que l'on déteste ! Mais le destin de Marceline, nous le verrons, fut sans cesse contrarié ; elle aima qui ne l'aimait plus. Elle vit se dresser entre elle et son besoin d'écrire les cent obstacles d'une existence vouée aux besognes du ménage.

Pourtant le théâtre a favorisé l'éclosion de son talent lyrique. Elle y acquit les éléments de culture et de style qui lui manquaient. On ne répète pas durant des années des cen-

---

(1) Cf. Sainte-Beuve : *Madame Desbordes-Valmore*, p. 16.

Marceline Desbordes-Valmore

(D'après une miniature dont l'auteur est inconnu).

Marceline Desbordes

(d'après Devéria).

taines de vers classiques, sans en garder un peu des tours et de la cadence.

Lucien Descaves a signalé les inflexions raciniennes de certains de ses vers :

> *Sais-tu ce qu'il m'a dit? Des reproches... des larmes*
> *Il sait pleurer, ma sœur!*
> *O Dieu! que sur son front la tristesse a de charmes!*
> *Que j'aimais de ses yeux la brûlante douceur!*

Quant aux airs de Weber, de Grétry ou de Rossini qu'elle chanta, on peut croire qu'ils ont aiguisé encore le sens du rythme qu'elle avait très vif. Pour des raisons qu'elle a expliquées à Sainte-Beuve — son meilleur ami et son premier biographe — elle dut bientôt abandonner l'opéra : « A vingt ans, écrit-elle, des peines profondes m'obligèrent de renoncer au chant, parce que ma voix me faisait pleurer; (1) mais la musique roulait dans ma tête malade, et une mesure toujours égale arrangeait mes idées, à l'insu de ma réflexion ». Elle ne se délivra de cette mélodieuse hantise qu'en entonnant ses premiers accords poétiques.

D'autre part, le théâtre l'avait familiarisée avec les multiples nuances de l'amour. Lorsqu'elle rencontra l'homme qu'elle devait chanter dans ses poèmes, elle avait, comme dit Jacques Boulenger, « le cœur merveilleusement entraîné ». Cet amant qu'elle appelle Olivier, devait lui arracher les cris les plus passionnés qu'une femme poète ait fait entendre depuis Louise Labé. Mais elle en a jalousement tu le nom. Si bien que le « secret » de Marceline Desbordes-Valmore continue, après plus de cent ans, à faire couler une encre dont rien ne semble devoir tarir les flots.

---

(1) Peines qu'elle ne connut, en réalité, qu'à 22 ou 23 ans. Marceline aime se rajeunir.

Amour, divin rôdeur, glissant entre les âmes,
Sans te voir de mes yeux, je reconnais tes flammes.
Inquiets des lueurs qui brûlent dans les airs,
Tous les regards errants sont pleins de tes éclairs.

En 1807, Marceline joue au Théâtre de la Monnaie de Bruxelles, la *Lisbeth de Grétry* et *Une heure de mariage* de Dalayrac. Un an plus tard, les affaires du théâtre périclitent et la jeune fille doit regagner Paris.

En attendant un engagement, elle vit chez son oncle Constant Desbordes qui a établi son atelier dans l'ancien couvent des Capucines, à l'endroit même où travaillèrent également Gros, Gérard et Girodet.

Monsieur Léonard — c'est le nom que lui donne sa nièce dans l'*Atelier d'un peintre* — n'est qu'un talent assez moyen, bien qu'il s'exerce sans répit. Mais il enseigne avec passion. La jeune fille écoute les leçons du maître et prend soin de son ménage. Parfois elle est invitée chez une amie, Délie Amoreux, qui joue les premiers rôles à l'Odéon. Fille d'un consul de France à Smyrne, cette actrice « passable » a surtout comme mérite de beaux yeux d'orientale et un tempérament joyeux.

Légère, libre encor, d'hommages entourée,
Dans les plaisirs coulent vos heureux jours.

C'est elle qui présenta Olivier à Marceline.

Si celle-ci a soigneusement caché le nom de son ami, elle n'a rien celé, par contre, conformément aux habitudes du romantisme, des incidents de sa liaison. Pour suivre les étapes de sa dramatique aventure, il nous suffit donc de glaner dans ses poèmes. Au premier acte, la scène se passe chez Délie. C'est là que Mademoiselle Desbordes rencontre le jeune homme qu'elle croit épris de son amie. Il n'est pas impossible d'ailleurs, que le volage Olivier l'ait eue pour maîtresse :

Je l'ai vu cet amant si discret et si tendre;
J'ai suivi son maintien, son silence, sa voix.
Ai-je pu m'abuser sur l'objet de son choix ?
Ses regards vous parlaient, et j'ai su les entendre..

C'est en vain que notre héroïne essaie de fuir « un danger plein de charme ». Conquise dès l'abord, elle revient chez la comédienne qui, un beau jour, la laisse seule avec l'objet de son émoi.

Contre un penchant si vrai, si longtemps combattu,
Ma sœur, je n'avais plus d'appui que sa vertu.

Comment échapper à l'attrait de ce beau ténébreux ravagé par un romantique tourment. Sa « démarche pensive », ses « regards distraits chargés d'alarmes », tout indique qu'il a besoin de consolation. Ni le silence compréhensif de Marceline, ni les quelques accords de harpe qu'elle égrène ne semblent pourtant le rasséréner. Il ne sort de son mutisme que pour s'écrier avec feu : « Non, non jamais tu n'as connu l'Amour ! ». Effrayée par le regard qui accompagne ces paroles, la jeune fille veut se sauver, quand Olivier, les larmes aux yeux, se jette à ses genoux. Ce moment, qu'elle a si souvent interprété au théâtre, elle le vit pour la première fois. Envoûtée, elle cède au trouble qui l'envahit :

...et je perdis mon âme
Je ne me souvins plus, je n'attendis plus rien;
L'univers, c'était lui; lui m'appela son bien;
Et tout s'anéantit dans notre double flamme.

Désormais, la jeune femme va connaître les affres et les enchantements de la passion :

Il m'attend! d'où vient donc que, dans ma chevelure,
Je ne puis enlacer les fleurs qu'il aime tant?

Elle guettera les pas de l'aimé. Elle vivra l'attente qui dure un siècle et la nuit d'amour qui passe comme une heure.

Une heure, une heure, Amour! une heure sans alarmes,
Avec lui, loin du monde! après ce long tourment,
Laisse encor se mêler nos regards et nos larmes;
Et si c'est trop d'une heure... un moment! un moment!

Tous ces poèmes jaillirent du trouble et de l'émerveillement d'une flamme naissante, d'où leur impétuosité et leur fraîcheur. Par moment l'amante est terrifiée par l'étendue de son bonheur. Elle voudrait arrêter l'élan qui l'emporte au-delà d'elle-même. Mais elle n'est pas de celles qui aiment avec mesure.

Ainsi, pour m'acquitter de ton regard à toi,
Je voudrais être un monde et te dire : « prends-moi! ».

Bientôt l'amant se lasse de ce trop vif amour. Il finit même par se montrer excédé, prêt à fuir. Atterrée, Marceline ne comprend pas. « L'ai-je trahi ? Jamais. Il eut mon âme entière », écrit-elle naïvement. La pauvre ! Le théâtre ne lui a pas enseigné l'art de feindre dans la vie. Un rien de froideur aurait peut-être ranimé les sentiments de celui qui, à présent, manifeste une impatience grandissante.

Il a demandé l'heure; oh! le triste présage!
Autrefois j'étais seule attentive à ce soin.

Ce sont des signes qui ne trompent pas. L'orage va éclater. Olivier révèle bientôt sa vraie nature :

Ne m'aimez pas si vous êtes sensible;
Jamais sur moi n'a plané le bonheur.
Je suis bizarre et peut-être inflexible;
L'amour veut trop : l'amour veut tout un cœur.
Je hais ses pleurs, sa grâce ou sa colère;
Ses fers jamais n'entraveront mes pas.

Inflexible, certes, et cruel, et perfide, toutes ces épithètes chères au XVIIIe siècle lui conviennent, puisqu'il soupire déjà pour une autre belle. « Aussi léger que prompt à s'enflammer », s'exclamera Marceline. Tandis qu'elle répétait un rôle dans les coulisses, ses amis ont bavardé : « On disait ton bonheur et tes belles amours ». La pauvrette n'a plus que l'amère ressource des sanglots. Ariane brisée, elle laisse jaillir des plaintes toutes raciniennes :

Qu'il m'était cher! que je l'aimais!
Que par un doux empire il m'avait asservie!
Ah! je devais l'aimer toute ma vie,
Ou ne le voir jamais!

Et sonne l'heure des adieux. « L'ingrat » a prononcé la sentence. Elle l'a acceptée sans murmurer. Elle n'en veut pas à son ami qui parcourt allègrement les routes d'Italie tandis qu'elle se désespère :

Rome où ses jeunes pas ont erré, belle Rome!

Bien mieux. Elle se tait même lorsqu'elle s'aperçoit qu'il lui a laissé « un gage adoré de ses amours ». L'enfant naît en juin 1810, à Paris; il s'appellera Marie-Eugène. Marceline se réfugie, avec lui, chez sa sœur Eugénie à Rouen.

Ainsi se termine le premier acte du drame valmorien. Lorsque le rideau se relève, trois ans se sont écoulés :

Trois étés de ces bois ont embaumé l'ombrage,
Depuis que, m'exilant sur des rives sans fleurs,
Je n'emportai que le triste courage,
En pleurant, de cacher mes pleurs.

La jeune femme est revenue à Paris pour trouver un engagement. Il faut vivre et faire vivre, nourrir l'enfant, secourir le vieux père resté à Douai et envoyer de temps en temps quelques sous à Félix, le frère bien-aimé qui est ce que l'on nomme, dans le langage familier, un « propre à rien ». Quels que soient ses malheurs elle n'oublie jamais de partager le peu qu'elle possède avec les pauvres et les esseulés.

En avril 1813, Mademoiselle Desbordes reparaît donc à l'Odéon. Elle émeut plus que jamais dans le rôle de Claudine abandonnée par son séducteur ou bien dans celui de la douce Eulalie de *Misanthropie et repentir*.

Mais cette même année, « le perfide amant » est rentré d'Italie et tente par l'intermédiaire de Délie, de renouer avec son ancienne amie. Celle-ci commence par se révolter :

« Il le veut », dites-vous. Il veut! Toujours le même :
Voilà comme il régnait sur mes esprits confus;

J'obéissais toujours, mais je disais : « Il m'aime! »
Ose-t-on commander à ceux qu'on n'aime plus ?

Quoi qu'elle en dise, la vie d'enfer recommence avec celui qu'elle dépeint dans l'*Atelier d'un peintre*, sous les traits de l'inquiet, du changeant Yorick et qui ne tardera pas, on le devine, à briser une nouvelle fois ses liens.

Rupture qui inspirera à Marceline ses plus beaux poèmes. Ne possédant ni une science particulière de la technique, ni même le don de l'invention, la qualité de sa poésie dépend avant tout de l'intensité de l'émotion qui la bouleverse. Comme l'a si bien dit le critique Emile Montégut, Desbordes-Valmore, « c'est un poète réduit à gagner sa poésie à la fatigue de son cœur ». Aimée, elle ne fait entendre que des chants d'une pénétrante douceur et d'un charme ingénu (*Le Rendez-vous, c'est moi*) mais somme toute assez mince. Son vrai tempérament ne s'extériorise que lorsqu'elle est abandonnée. C'est alors que l'élégiaque gémit, secouée par la tempête. C'est dans ces moments qu'elle se livre entièrement à une sorte de transe lyrique, « qu'elle ne prend plus la peine, comme l'écrit Marsan, d'arranger sa douleur » :

Ma sœur, il est parti! ma sœur, il m'abandonne!
Je sais qu'il m'abandonne, et j'attends, et je meurs,
Je meurs. Embrasse-moi, pleure pour moi... pardonne...
Je n'ai pas une larme, et j'ai besoin de pleurs.

ou bien :

Sans retour! le crois-tu ? Dis-moi que je m'égare;
Dis qu'il veut m'éprouver, mais qu'il n'est pas barbare;
Dis qu'il va revenir, qu'il revient... trompe-moi,
Mais obtiens qu'il me trompe à son tour comme toi.
Va le lui demander, va l'implorer... demeure...

Par quel sortilège réussit-elle à imprimer un tel pouvoir d'incantation à des mots usés et à des sentiments banals ? Dans sa fièvre elle est en proie à de véritables hallucinations. Elle voit l'absent, l'entend, caresse son visage. Ce n'est que par le don du rythme qu'elle parvient à ordonner les exclamations incohérentes du désespoir. Poésie du cri, dans toute son éloquence et dans toute sa puissance dramatique !

Puis, à la tourmente, succède le calme de l'abattement. *Souvenir*, l'*Isolement* et *Détachement* disent « les maux sans nom » qui ne font même plus jaillir les larmes, le refus de poursuivre toute espérance. L'amante sombre dans une apathie aussi excessive que l'était son exaltation.

Que le monde est désert ! n'y laissa-t-il personne ?
Le temps s'arrête et dort : jamais l'heure ne sonne.

Réactions d'une passionnée s'il en fut ! Desbordes-Valmore appartient bien à la lignée des Louise Labé, des Mademoiselle de Lespinasse et des Juliette Drouet : les torturées de l'amour. Elle est possédée par l'amant : corps et âme. Bien que son lyrisme amoureux garde toujours quelque chose de pudique et de réservé, la sensualité de ses images et les intonations voluptueuses de ses exclamations la trahissent. Quelle que soit la violence de son tourment, elle n'est toutefois pas de celles qui luttent pour reconquérir l'amant, menacent ou se vengent.

N'ayant rien d'une Hermione, l'auteur des *Pleurs* n'accuse et ne détruit qu'elle-même. Elle ne s'impose pas à l'aimé, c'est à peine si elle ose ébaucher de naïves espérances ! Peut-être entendra-t-il encore la voix de la délaissée, dans le murmure d'une source ou dans le tintement des *Cloches du soir ?*

Si les cloches du soir éveillent tes alarmes,
Demande au temps ému qui passe entre nos larmes.
Le temps dira toujours qu'il n'a trouvé que toi,
Près de moi! près de moi!

Peut-être — qui sait ? — reviendra-t-il ? L'attente n'est d'ailleurs pas dépourvue d'attrait :

Oui, plus que toi l'absence est douce aux cœurs fidèles
Du temps qui nous effeuille elle amortit les ailes.

Chaque poème reflétera désormais la fidélité à l'absent. Fidélité discrète qui se voile, dans *la Sincère,* d'un pauvre sourire : « Veux-tu l'acheter, mon cœur est à vendre » et dans *Ma Chambre,* de résignation. Jamais de reproches, tout au plus de timides supplications :

Parle-moi doucement! Sans voix, parle à mon âme;
Le souffle appelle un souffle, et la flamme une flamme.

Tout cela interrompu de soudains revirements ; protestations de la fierté blessée : « Quand tu ne réponds pas j'ai honte à tant d'amour... » ; auxquelles succèdent toujours, en fin de compte, les déclarations embrasées :

Tu ne sauras jamais comme je sais moi-même,
A quelle profondeur je t'atteins et je t'aime.

Ne pouvant enserrer son sentiment dans les limites de l'humain, la poétesse en imagine parfois le prolongement dans l'au-delà :

Alors je resterai seule, mais consolée,
Les vents respecteront l'empreinte de ses pas.
Déjà je voudrais être au fond de la vallée;
Déjà je l'attendrais... Dieu! s'il n'y venait pas!

Ce thème de l'amour uni à celui de la mort, que mettra en vogue la génération poétique de 1830, Desbordes-Valmore le développe dès 1820. Mais au rebours de la plupart des romantiques elle le fait avec grâce et sans emphase aucune :

Prends mon deuil : un pavot, une feuille d'absinthe,
Quelques lilas d'avril dont j'aimai tant la fleur.

Par contre, la façon dont elle mêle le visage divin à ses songeries amoureuses déconcerte au plus haut point : « Dieu, c'est toi pour mon cœur, j'ai vu Dieu, je t'ai vu... ». Faute de goût que l'on pardonne si l'on tient compte de son ingénuité. On a peine à reconnaître dans de tels poèmes celle qui accédera dans la *Couronne effeuillée*, à un sentiment religieux plein de grandeur.

En 1815, Marceline est à Bruxelles. C'est là, et plus précisément, au Théâtre de la Monnaie, que va se dérouler le troisième acte de la pièce. Torturée par le souvenir d'Olivier, écrasée de besogne, le soir elle joue, le matin elle répète et s'occupe de son ménage. Marie-Eugène est sa seule consolation, le seul but de son existence. Quand l'enfant tombe malade, la mère le veille sans répit. En vain hélas ! :

Après soixante jours de deuil et d'épouvante,
Je criais vers le ciel : « Encore, encore un jour ! »
Vainement. J'épuisai mon âme tout entière...
Je criais à la mort : Frappe-moi la première !

Son fils meurt le 10 avril 1816.

« Je suis si anéantie de larmes, écrira-t-elle à son frère Félix, ma tête et mon cœur sont si en désordre que je ne sais même pas me plaindre d'un malheur qui me tue. J'avais tout supporté avec courage, mais ce dernier coup m'a frappée au cœur ».

Au moment où elle touche au fond du désespoir, un événement imprévu va cependant la rattacher à l'existence. Un jeune premier qui chaque soir lui déclare son amour, finit par prendre son rôle au sérieux. Il est beau, il a vingt-cinq ans et il ne semble pas s'émouvoir de ce que Mademoiselle Desbordes ait plus de trente ans, l'âge de la maturité à l'époque, des traits précocement vieillis, un passé de fille-mère.

François-Prosper Lanchantin, neveu d'un général de l'Empire, acteur d'un talent moyen, joue sous le nom de Valmore.

Tout d'abord elle n'a pas cru que le comédien voulait la prendre pour femme. C'est vrai pourtant. La reconnaissance qui l'envahit se transforme bientôt en tendresse. Elle épouse Prosper à Bruxelles, le 4 septembre 1817. Désormais, elle partagera l'existence mouvementée de son mari à Rouen, à Bordeaux et à Lyon. C'est toutefois à Paris qu'elle résidera le plus souvent. Après la naissance de la petite Junie (1818) qui meurt à Bruxelles (Cureghem) âgée de trois semaines, elle met encore au monde trois enfants : Hippolyte (1820), Hyacinthe-Marceline surnommée plus tard Ondine (1821) et enfin, Blanche-Inés (1825).

Toutes les lettres qu'elle adressa à son époux lorsqu'ils étaient séparés révèlent l'entente qui régna entre eux, pendant plus de quarante ans (1). Elles sont les hymnes d'adoration d'une femme éprise, vibrante de reconnaissance, succombant sous le poids de l'inquiétude et de l'attente.

Pourtant, deux ans après son mariage, Desbordes-Va-

---

(1) Cf. Correspondance publiée par Boyer d'Agen.

lence publie ses *Elégies* (1819) et ses *Poésies* (1820) dont la plupart exaltent son premier amour. Les *Pleurs* (1833), *Pauvres Fleurs* (1839) et *Bouquets et Prières* (1843), qui suivront, attestent toujours la persistance de ce sentiment. Les *Poésies Inédites* (1860) montrent que la passion de la poétesse ne s'éteignit jamais, même pas après la mort de son amant. Témoins ces vers qu'elle écrivit à 71 ans :

Votre nom seul suffira bien
Pour me retenir asservie;
Il est alentour de ma vie
Roulé comme un ardent lien.

Ce « cher tourment » de toute une vie affirmait-il une personnalité qui justifiât pareil attachement ? Son caractère et ses actes expliquent-ils les accents heurtés des chants valmoriens ? A-t-il exercé quelque influence sur la manière d'écrire de son amie ? Celle-ci le revit-elle et l'aima-t-elle encore après son mariage ? Autant de questions qui nous amènent à essayer de savoir qui était « l'homme bizarre et inflexible » des *Elégies*.

Quoi! vous voulez savoir le secret de mon sort?
Ce que j'en peux livrer ne vaut pas qu'on l'envie :
Mon secret, c'est un nom; ma souffrance, la vie;
Mon effroi, la pensée, et mon espoir, la Mort!

QUE savons-nous de lui ? Peu de choses et fort imprécises (1). Marceline dit à maintes reprises qu'il était jeune au moment de leur rencontre : « Il est jeune, il est triste, il est beau » et que sa voix avait un grand pouvoir de séduction : « Ta voix a des accents qui me font tressaillir ». Elle nous apprend aussi qu'il partit pour l'Italie, vraisemblablement après la première rupture, voyage qui est évoqué non seulement dans le vers déjà cité (p. 38), mais aussi dans une lettre, qu'en 1838, Marceline adressa de Milan à son amie Pauline Duchambge : « Et moi, sais-tu ce que je regrette de cette belle Rome ? La trace rêvée qu'il y a laissée de ses pas, de sa voix si jeune alors, si douce toujours, si éternellement puissante sur moi; je ne demanderais à Rome que cette vision : je ne l'aurai pas ». Elle a cinquante-deux ans lorsqu'elle écrit ces mots.

D'autre part, elle nous a confié qu'Olivier était poète :

---

(1) Jacques Boulenger les a analysés dans son lucide ouvrage *Marceline Desbordes-Valmore, sa vie et son secret*, auquel sont empruntés maints éléments de ce chapitre.

« j'ai lu ces vers charmants où son âme respire ». Et plus tard après la séparation :

Ce n'est plus pour moi qu'il délire;
Il a banni mon nom de ses écrits touchants...
Et, doucement pressé sur le cœur qui l'adore,
Je l'entends murmurer des vers.

Il est probable qu'il ait été, bien que jeune, un poète connu : « Rendez sa jeune gloire à ses jeunes amis... » et peut-être même couvert de lauriers, à en croire une élégie qui narre l'aventure des amants :

D'un éloge enchanteur toujours environné,
A mes yeux éblouis il s'offrait couronné.

bien que le mot « couronné » n'ait point eu à l'époque, une signification aussi nette que celle que nous lui accordons aujourd'hui.

Tout cela ne suffit pas à nous révéler l'identité d'Olivier. Certains poèmes parmi lesquels *Un nom pour deux cœurs* (1834) nous fournissent encore d'autres indices, à vrai dire mystérieux ou confus :

Ton nom, partout ton nom console mon oreille;
....
Tu sais que dans mon nom le ciel daigna l'écrire
On ne peut m'appeler sans te jeter vers moi;
Chaque lettre en est mienne et me mêle avec toi (1).

Ce qui semble vouloir dire que les signes qui composent le nom de Marceline, Félicité, Josèphe Desbordes doivent

---

(1) Version découverte par Jacques Boulenger, elle diffère légèrement de la rédaction définitive :

On ne peut m'appeler sans t'annoncer à moi,
Car depuis mon baptême il m'enlace avec toi.

se retrouver, en anagramme ou autrement, dans le nom ou les prénoms de son amant.

Tels sont les éléments dont les biographes ont dû se contenter pour essayer de découvrir le nom de l'homme qui a bouleversé l'existence entière de l'auteur des *Pleurs*.

Parmi les « possibles », certains tels Louis, Charles, Joseph Saint-Marcellin, le comte de Marcellus et le Docteur Jean, Louis, Marc Alibert, ont été choisis pour leur nom ou leur prénom qui évoquait plus ou moins celui de la poétesse.

Les deux premiers, proposés par Jules Lemaître ne peuvent convenir. On ne possède d'ailleurs que peu ou pas de preuves que la jeune fille les ait connus.

En outre, Saint Marcellin n'a point publié de poèmes. En tout cas, il n'était pas « environné d'un éloge enchanteur » en 1808, au moment où Marceline rencontra Olivier, les quelques pièces de théâtre qu'il a laissées n'ayant paru qu'après 1818.

Le comte de Marcellus, père du diplomate qui découvrit la Vénus de Milo, avait dix ans de plus que Mademoiselle Desbordes alors que celle-ci parle souvent de la jeunesse de son amant. Quant à Jean Marc Alibert qui fut son médecin traitant et trouva un éditeur pour son premier recueil, Marceline lui dédia quelques pièces où elle parle de sa « timide flamme » pour le docteur (1). Mais de dix-neuf ans son aîné, il n'est certes pas le jeune séducteur au regard de feu que nous dépeignent la plupart des poèmes d'amour.

La seule lettre de la poétesse à son amant que nous possédions (sans adresse ni date) a fait avancer un autre nom : « Ne viens pas demain, bien-aimé, j'ai mille corvées à faire, écrit-elle... Adieu, mon Olivier », puis elle ajoute ceci : « Et

(1) Cf. Lucien Descaves, *La vie amoureuse de Marceline Desbordes-Valmore*.

mes trois frères, mes trois amis ? Apporte-les moi donc, je t'en prie, ne laisse pas écouler un jour sans travailler. Songe que tu t'occupes de mon bonheur. Je la veux, cette jambe de bois chérie, ce pauvre poète déchiré, et surtout ce barbier laid et intéressant ; que tu as bien fait de les mettre en Espagne ! Ils n'ont jamais froid ! etc... ».

Or une nouvelle de l'écrivain Audibert intitulée *Gavino* conte précisément les aventures de deux frères dont l'un, soldat, est revenu de la guerre avec une *jambe de bois* et dont l'autre est un *barbier laid.* L'histoire se passe en Espagne. Point de poète déchiré, il est vrai ; mais il a pu toutefois disparaître à la suite de remaniements. L'auteur de ce récit, s'il n'était pas doté d'un talent immense passait tout au moins pour un homme de cœur et pour un homme d'esprit. Il avait le même âge que Desbordes-Valmore. Aurait-il été le héros des Elégies ?

Mais outre que ses prénoms, Louis, François, Hilarion, ne conviennent guère, il ne semble pas avoir voyagé en Italie. Pourtant la missive qui désigne avec tant de précision les personnages de *Gavino* est probante.

En fait, il n'est pas interdit de croire que Mademoiselle Desbordes eut une liaison avec Audibert, avant de rencontrer le séduisant ami de Délie Amoreux. C'était d'ailleurs l'opinion de Paul Souday (1) pour qui il n'est pas impossible « que la candide Marceline ait eu au moins deux amants » dont le premier serait l'Olivier de la lettre. Quant au second, son identité nous est révélée par la lettre que l'écrivain Ulrich Güttinger adressa, en 1838, à Sainte-Beuve : « Vous voilà donc, mon cher ami, dans les vers de Madame Valmore, bien jolis par doux éclairs, et, comme des éclairs, étincelants

(1) *Le Temps*, 29 octobre 1925.

Marceline Desbordes-Valmore

Peinture d'Hilaire Ledru.

Marceline Desbordes-Valmore.

(D'après un dessin de Constant Desbordes).

dans l'obscurité. Vous y rencontrerez *Le Loup de la Vallée*, dont elle ne s'est pas encore réveillée, dit Madame Duchambge, et pour qui ont été exhalés tous ces beaux élans de passion désolée, qui la mettent tant au-dessus et au-dessous des autres femmes ».

« Le Loup de la Vallée », Saint-Beuve l'a indiqué au dos de cette lettre, c'est Henri de Latouche, l'ermite de la Vallée aux Loups à Aulnay, résidence qu'il habita après Chateaubriand (1). Avec l'auteur des *Lundis*, avec Jacques Boulenger, Paul Souday et d'autres critiques, je crois que c'est lui le séducteur, « le muffle tant recherché », le père de Marie-Eugène.

Les premiers documents où il est question de Desbordes-Valmore et de Latouche ne datent que de 1819. Mais d'une façon générale, nous sommes mal renseignés sur la période de la vie de la poétesse qui va de 1808 à 1815. Tout ce que nous pouvons affirmer, c'est qu'elle était mariée depuis deux ans lorsque l'écrivain annonça aux Valmore sa première visite. « Venez comme un ami, lui répond la jeune femme, en 1819, n'oubliez pas que c'est vous-même qui avez tracé ce mot, et qu'il double le plaisir de votre lettre. Le même titre, si vous y tenez un peu, terminera la mienne, et je me rappelle qu'il y a longtemps que j'en éprouve pour vous les sentiments ».

C'est la seule lettre de Marceline à l'écrivain que l'on ait pu découvrir. A dater de ce moment, Latouche devint l'ami du ménage et le resta pendant vingt ans.

De l'aveu même de la poétesse, il lui rendit de nombreux services, s'occupant de la réédition des *Poésies* en 1820 et rassemblant les textes destinés à l'édition Boulland, en 1830.

---

(1) Cf. Spoelberch de Lovenjoul : *Sainte-Beuve inconnu.*

Il reste à savoir si ce qu'elle nous dit de son ami peut s'accorder avec ce que nous savons de Latouche. Né à La Châtre en 1785, il était à peu près du même âge que Desbordes-Valmore. Celle-ci, en tout cas, a pu le trouver jeune, à une époque où les jouvencelles épousaient fréquemment des hommes âgés. Il avait, au dire de Sainte-Beuve, « de la sirène dans la voix », « une voix douce et pénétrante », écrira George Sand. Il était poète, et même poète doté d'une « jeune gloire » puisqu'en 1811 déjà, l'Académie l'avait couronné d'un accessit pour une pièce en vers sur la mort de Rotrou.

Qu'il ait séjourné à Rome, au moment où la mère de Marie-Eugène déplore le départ de son ami, cela ne fait aucun doute puisque nous possédons une lettre que l'écrivain adressa de cette ville, en 1812, à sa cousine madame Duvernet (1). Mais le nom ? Que signifierait dans ce cas le fameux vers :

« *On ne peut m'appeler sans te jeter vers moi* » ?

En fait, Latouche ne se prénommait pas Henri mais Hyacinthe, *Joseph*, Alexandre, Thabaud. Il porte donc un des prénoms de Marceline, celui de *Josèphe*. Argument peu convaincant, on en conviendra.

A mon avis, les poèmes où il est question du nom ne peuvent d'ailleurs guère nous éclairer. Ils ont été publiés après le mariage, à un moment où leur auteur s'efforçait de cacher à Prosper la persistance de son premier amour. Il est donc peu probable qu'elle y ait précisé de façon claire l'identité de son amant. Il n'est même pas exclu que ces vers, parus en 1834, aient été destinés au contraire à brouiller la

(1) Publiée par Fred. Ségu dans la thèse érudite qu'il a consacrée à *H. de Latouche.*

piste. En réalité, c'est la forme de l'intelligence et du caractère de Latouche qui permettent, mieux que toute autre chose, de l'identifier avec le héros des poèmes.

Romancier et poète, animateur et pamphlétaire, tendre et cynique, sensible et brutal, cet écrivain a, tout ensemble, fasciné et irrité ses contemporains. Ses œuvres d'un style parfois pénible sont pleines de situations neuves. *Fragoletta* offre bien des similitudes avec *Mademoiselle de Maupin* et l'une de ses pièces, la *Reine d'Espagne* a donné le sujet de *Ruy Blas*. En 1818, il lisait, chez Sophie Gay, le manuscrit de la *Vallée aux Loups* où se manifeste ce goût du fantastique que nous retrouvons beaucoup plus tard dans les œuvres de Nodier, de Nerval et de Balzac.

Ses traductions du *Roi des Aulnes* de Gœthe (1818) et de la *Marie Stuart* de Schiller (1820) ont favorisé l'éclosion du romantisme en France. C'est à bon droit aussi qu'il affirmait : « J'ai fait, comme on dit, plus d'auteurs que d'ouvrages ». Il parla de Vigny, de Balzac, alors qu'ils étaient encore des inconnus. Le premier, il attira l'attention sur Stendhal. Il détourna George Sand de l'aquarelle et l'attela au roman, critiquant sans pitié ses premiers essais. Mais son principal titre de gloire reste toutefois la découverte et la publication de l'œuvre d'André Chénier. Il en avait trouvé les manuscrits à Aulnay, dans un petit ermitage de la Vallée aux Loups où l'auteur de la *Jeune Captive* avait séjourné peu avant sa mort. D'autres écrivains, Chênedollé notamment, avaient eu ces papiers en mains, mais aucun ne s'était avisé de leur valeur. Il appartenait à l'auteur de *Fragoletta* de sentir ce qu'il y avait de génial dans l'œuvre de Chénier.

A vrai dire, personne ne lui sut gré de son intuition. C'est qu'il avait l'art de se faire détester !

Ulrich Güttinger fut une des nombreuses victimes de sa

franchise et de son esprit sarcastique. Il avait demandé à l'auteur de la *Reine d'Espagne* de lui composer une préface pour ses poèmes. Le diabolique Latouche, qui ne l'appréciait guère, s'exécuta cependant, mais sur quel ton aussi !

Nos journaux vous font peur ? Eh! qui va s'informer
Qu'un amateur de plus s'abandonne à rimer ?

et il terminait sur ceci :

Publiez-les vos vers, et qu'on n'en parle plus!

Le curieux est que l'honnête Güttinger n'y vit point malice et fit précéder sa plaquette de la préface en question.

Mais il y a plus grave.

En pleine bataille d'*Hernani*, dans un article de la *Revue de Paris* intitulé : *La Camaraderie littéraire*, Latouche avait osé attaquer le Dieu Hugo et ses amis. A dater de ce jour, il fut l'écrivain le plus haï de la France, ce qui le ravit et l'aigrit tout en même temps. Son intégrité, sa fidélité inconditionnelle aux principes républicains accentuaient encore sa misanthropie. Sans indulgence même pour ses amis, le moindre de leurs défauts le faisait sombrer dans la colère et dans le désespoir. Mais à d'autres moments, il pouvait se montrer d'une exquise délicatesse et charmer ceux qui l'aimaient. Aussi garda-t-il l'affection de Nodier qui l'appelait « l'Hésiode des esprits et des fées », celle de Sophie Gay, qui l'avait surnommé son « ennemi intime », celle de George Sand, qui écrivait à son propos : « Cette âme n'était ni faible, ni lâche, ni envieuse. Elle était navrée, voilà tout ».

Instable en amour, comme beaucoup d'âmes malades, il ne vécut qu'un an avec la femme qu'il avait épousée en 1807. Après quoi, il eut d'innombrables liaisons.

Tel est le personnage, son amertume, son éclat, son inconstance. N'est-il pas fort proche du Yorick de l'*Atelier d'un peintre*, « sujet au spleen », « malade au cœur d'une intolérable tristesse », et de l'amant des *Elégies*, dont le regard a ce « je ne sais quoi d'amer, de sombre et de moqueur », de ce « loup » enfin, pour qui selon l'expression de Sainte-Beuve, « la colombe avait tant gémi » :

Il me faisait mourir, et je disais : j'ai tort
A douter de moi-même il m'avait asservie.

Caractère impossible dont les sautes d'humeur semblent avoir stimulé la ferveur de Marceline, il permet de comprendre tout un aspect, assez curieux d'ailleurs, de sa poésie. Il ne faut pas la croire lorsqu'elle se révolte contre l' « ingrat », lorsqu'elle se peint en victime, en suppliciée. En fait, elle se soumet avec bonheur à la fatalité : « J'étais à toi peut-être avant de t'avoir vu », à une fatalité qui implique un sacrifice de tous les moments, puisqu'aimer :

C'est accomplir un vœu, fait au bord de l'enfance,
De ne rendre jamais l'offense pour l'offense.

En réalité « l'amour, divin rôdeur », est porteur de feux auxquels elle se brûle avec délice, espérant que son martyre donnera à l'amant la mesure de sa foi.

...Laisse brûler ma vie.
Si tu sais le doux mal où je suis asservie,
Oh! ne me dis jamais qu'il faudra se guérir.

L'élégie « Toi qui m'as tout repris... » nous apprend qu'elle a connu toutes « les errantes flammes » du « cruel ». Elle a pleuré avec lui lorsqu'il se désespérait pour d'autres belles. Bien plus, elle se refuse à souhaiter la mort parce que privé de son adoration, l'inconstant se sentirait moins sûr de lui auprès des femmes qu'il veut conquérir :

L'infidèle est content des pleurs de sa victime;
Et, fier, aux pieds d'une autre il en est plus charmant

Cet homme tourmenté et tourmentant, « bizarre et inflexible », des *Elégies*, dont la poétesse dit :

Il me tue, et je l'aime! et je veux en gémir!...

qui ne serait tenté de croire que c'est Latouche ?

Sainte-Beuve en douta cependant, à de certains moments. La lettre de Güttinger ne devait pas l'avoir tout à fait convaincu si l'on en juge par le procédé ingénieux mais peu délicat dont il devait user treize ans plus tard.

En 1851, le jour même de la mort de Latouche, sous prétexte de parler avec impartialité de ce « brillant, coquet et inquiet esprit », le critique adressa à Marceline Valmore, une lettre où il lui demandait son impression « vive, poétique et indulgente » sur le défunt, dans l'espoir qu'en un moment aussi cruel, il lui serait difficile de dissimuler entièrement la vérité. Le critique ne s'était pas trompé. Si la réponse de la poétesse n'apporte en fait aucun élément nouveau, il est hors de doute que, même en tenant compte de l'époque exaltée où ce document a été écrit, le ton dépasse singulièrement tout ce qu'une amitié peut inspirer à celui qui survit. Le sentiment passionné qui l'anime perce à chaque ligne.

« Ces cris sourds m'atteignent de partout comme une terrible électricité, et je sens bien que personne ne me tient compte de ce dernier coup de foudre, — que Dieu peut-être, qui sait tout, qui plaint tout ! J'étais déjà en deuil (d'Eugénie) et à peine ai-je soulevé le voile qu'il faut le rabattre sur son âme, et je n'en peux plus ! ».

Bien qu'elle se défende d'avoir compris l'homme, Marceline l'analyse, dans cette lettre, avec une pénétrante lucidité : « D'ailleurs, je n'ai pas défini, je n'ai pas deviné, cette énigme obscure et brillante. J'en ai subi l'éblouissement et la crainte. C'était tantôt sombre comme un feu de forge dans une forêt, tantôt léger, clair, comme une fête d'enfant; un mot d'innocence, une candeur, qu'il adorait, faisait éclater en lui le rire franc d'une joie retrouvée, d'un espoir rendu... Il semblait souvent gêné de vivre, et quand il se dégoûtait de l'illusion, quelle amertume revenait s'étendre sur cette fête passagère ! Admirer était, je crois, le besoin le plus passionné de sa nature malade, car il était bien malade souvent, et bien malheureux ! ». Puis c'est l'intégrité du personnage qui apparaît : « Un désintéressement incorruptible, qui lui eût fait supporter la misère sans une plainte, l'a rendu sans pitié pour les faiblesses de l'ambition, ou l'indolence... ».

Peinture dont la profondeur et la subtilité de ses nuances étonnent d'autant plus qu'au vrai, la poétesse n'était rien moins que psychologue.

L'amour seul semble avoir pu l'éclairer. Tel fut d'ailleurs l'avis de Sainte-Beuve.

Mais à supposer que le critique ait vu clair, une fois de plus, dans le dédale du cœur humain, il reste à se demander quel fut le comportement de Marceline lorsque Latouche devint l'ami du ménage et comment elle réussit à vivre entre cet ancien amant, qu'elle devait exalter tout au long de sa vie, et ce mari à qui elle a adressé deux volumes de lettres débordantes de tendresse, « véritable bréviaire de l'adoration conjugale ».

Avant tout, il importe de savoir si Latouche continua à régner dans ce cœur qu'il avait autrefois dominé ou si, comme le croit Jacques Boulenger, « c'est l'amour, plus qu'un homme », que Marceline aima et chanta.

Certains poèmes, publiés après le mariage, permettraient de croire qu'elle aurait cédé une troisième fois à l'attrait du sombre Yorick :

Et ce lien défait par lui,
Il vient le reprendre aujourd'hui.

(L'ETONNEMENT, 1831)

ou bien :

Si c'est ainsi qu'une seconde vie
Peut se rouvrir.
Pour s'écouler sous une autre asservie,
Sans trop souffrir;
Par ce billet, parole de mon âme,
Qui va vers toi,
Sans bruit, ce soir, où t'espère une femme,
Viens et prends-moi!

(BILLET DE FEMME)

D'autre part, il est certain qu'elle essaya d'échapper à l'homme qu'elle aimait. *Billet de Femme* fut écrit à Milan, en juillet 1838, date que porte également cette lettre adressée à Madame Duchambge : « J'ai tenté Dieu, Pauline ! A force de lui demander l'éloignement de ce qui me faisait mal à Paris, Dieu m'a jetée loin de tout ce qui m'y attachait... Au milieu de ces choses, je couve un désespoir dont toi seule connais toute l'étendue, et je suis folle à l'intérieur de moi-même, en tâchant de faire bon accueil au malheur... ».

Quoi qu'il en soit, nous savons avec certitude que les relations entre la poétesse et l'écrivain furent loin d'être toujours paisibles. Elles devaient être rompues en 1840 et dans des circonstances pour le moins curieuses.

En 1839, Latouche habitait Aulnay, dans la maison même où avait vécu Chénier. Il y invitait régulièrement Marceline et ses enfants, enchanté d'avoir autour de lui toute cette jeunesse qui l'arrachait à sa solitude. L'air de la campagne faisait grand bien à Inès dont la santé était fragile. Ondine avait à cette époque 18 ans. Douée pour les langues et pour la poésie, elle aimait deviser avec le traducteur de Goethe et de Schiller qui, de son côté, était émerveillé par tant de précoce savoir. Chacun vivait heureux jusqu'au jour où éclata le plus étrange des orages. C'est à l'occasion d'une visite qu'une inconnue, une certaine Louise Ségault (1) fait à Marceline pour lui conter ses déboires. Latouche qui est son amant et qu'elle dit aimer, veut la quitter. Madame Valmore est tellement indignée par l'attitude de son ami qu'elle annonce à Prosper (qui se trouvait à Lyon) son intention de ne plus mettre les pieds à Aulnay.

L'époux répond, avec bon sens, que cette affaire ne les regarde pas. Mais sa femme demeure sourde à tout argument. Elle ne reverra Latouche que s'il renoue avec « la personne intéressante et malheureuse ». Et quelques mois plus tard, au cours d'un séjour à Orléans, chez son amie Caroline Branchu, elle écrit au « loup » qu'elle et ses filles n'iront plus dans sa vallée.

C'est en vain que celui-ci tente de rentrer en grâce et va

(1) Qui après sa brève liaison avec Latouche devint l'amie de Balzac.

jusqu'à prier Sainte-Beuve, que pourtant il n'aimait guère, d'intercéder en sa faveur. Protestations et supplications demeurent sans effet. Dans ses lettres à Prosper, Marceline accuse leur ami avec une amertume grandissante.

« Insensé », « faux », « bizarre », « très méchant homme », portant partout « le trouble et la désolation », inspirant « du mépris et de la haine » même à son parti politique. Voilà comme elle l'arrange. « Crois au cri de ma répulsion », dit-elle, « un service de lui, Grand Dieu ! J'aimerais mieux mendier ! ».

On ne reconnaît plus l'indulgente Marceline ! De tels accès de colère révèlent en tout cas que le loup de la Vallée lui inspire encore un sentiment passionné.

Le mari qui par sa nature est soupçonneux ne semble pourtant pas s'en rendre compte. Il ne trouve pas étrange que sa femme prenne parti pour la première venue contre un homme qui depuis vingt ans, est un ami fidèle de la famille.

Il est vrai, qu'en apparence, Madame Valmore travaille à rapprocher les amants. C'est du moins ce qu'elle écrit à Prosper. Mais à considérer que l'épouse n'ait pas dit la vérité, son attitude demeure tout aussi incompréhensible. A cette époque, elle est âgée de cinquante-trois ans. Elle a toujours eu connaissance des « errantes flammes » de Latouche sans qu'il ait jamais été question de rompre avec lui. La jalousie ne peut donc pas nous expliquer ses réactions.

En fait, ce sont les lettres qu'elle adresse à Valmore, à partir d'août 1839, qui nous font saisir les raisons de son exaspération. Elle croit Latouche épris d'Ondine. « Laissons ce malheureux dans ses replis, écrit-elle. Il avait bien assez éveillé d'orgueil dans cette âme pure qu'il voulait souiller, pour en faire de l'avenir. Elle est au moins restée digne du ciel ».

Ainsi, après avoir détruit l'existence de la mère « le perfide amant » veut détruire celle de sa fille ! On imagine la terreur de la pauvre femme ! On comprend qu'elle fasse étroitement surveiller Ondine, pour l'éloigner du « loup » qui va jusqu'à rôder autour de leur demeure.

Pourtant. à s'en tenir à des documents découverts en 1931, il semble bien que, si corrompu fût-il, Latouche n'était pas amoureux de l'enfant. Il croyait en être le père. Voici en effet la lettre qu'il a écrite à son cousin, Charles Duvernet (1) : « Depuis que je ne t'ai vu, j'ai perdu une espérance encore. Je voulais vivre de la vie d'un autre et me faire un avenir de l'avenir d'un être charmant : la destinée ne l'a pas voulu. Tu penses bien qu'il ne s'agissait pas d'une femme, mais d'un enfant. Je le crois mien ; je voulais m'emparer de son sort. La mère est ingrate et jalouse ; elle l'emmène à cent lieues de moi ! Je ne sais plus que croire et demander à Dieu en me couchant si ce n'est de ne m'éveiller pas demain ».

Elle est datée du 21 août 1839, c'est-à-dire de l'époque même où Marceline dévoile les sentiments de « l'étrange vieillard » à son mari, qui est toujours à Lyon, et où elle lui envoie Ondine, afin de la soustraire au danger (19 août 1839).

N'oublions pas que la jeune fille s'appelait Hyacinthe comme Latouche, prénom dont elle signe encore ses lettres en 1840, mais auquel elle substituera dès lors celui d'Ondine. Est-ce pur hasard ?

Ce nom d'Hyacinthe, je le retrouve dans une romance que

---

(1) Reproduite par Frédéric Ségu. Cf. op. cit, p. 559.

la poétesse a publiée en 1823, et qui me paraît particulièrement convaincante :

J'aurai toujours des pleurs pour le nom d'hyacinthe,
J'aurai toujours des chants pour cette aimable fleur;
....
De suaves rayons elle m'a couronnée,
Belle comme l'espoir qui pâlit d'un regret.
A son frêle avenir j'unis ma destinée :
Souvent dans une fleur l'Amour a son secret.

Madame Valmore admettait donc que le père de Marie-Eugène était également celui de l'enfant née en 1821.

Furieux d'être écarté de la famille, désespéré à l'idée qu'on suspectât la pureté de ses intentions, Latouche exhala son amertume dans des vers ambigus qui peignent la talentueuse Hyacinthe et l'affection paternelle qu'elle lui inspire :

Qui ne l'eût pas aimée! On doit ce juste hommage
A la grâce, aux talents, doux trésors de son âge;
Car les pinceaux, la lyre et les calculs savants
Elle sait tout : Milton, la langue des Toscans.
....
Deux fois enfant des arts, elle est le sang d'un homme,
Elite des amis qu'avec orgueil je nomme :
Par mon cœur adoptée avec le même orgueil
Je la voulais ma fille au-delà du cercueil.

Ce poème intitulé *Prévision*, il l'envoya, le 20 novembre 1839, à Sainte-Beuve, dans l'espoir que celui-ci le transmettrait à la jeune fille. L'auteur des *Lundis* n'en fit rien. « Plus tard, Latouche m'a fort caressé, écrira-t-il en 1863... Il a même jugé à propos de me faire part, dans des lettres fort gracieuses et fort entortillées que j'ai de lui, de quelques vers de sa façon à l'adresse d'une des filles de Madame Valmore, dont il était odieusement amoureux. Je dis *odieusement* à cause de certaines circonstances antérieures... J'ai donc raison de vous dire qu'il ne faut pas m'interroger sur Monsieur de Latouche. Malgré votre désir d'entière vérité, il y a un vrai qui ne s'imprime pas et qui se dit tout au plus en causant ».

Que Marceline n'ait point résisté, après son mariage, au penchant qui l'entraînait vers l'écrivain, il est de bonnes raisons de le croire. mais il n'est pas du tout certain qu'elle ait continué à être son amie jusqu'en 1840, année de la rupture définitive. Nombre de poèmes attestent au contraire que bien avant cette date elle se consuma sans espoir. N'en citons pour exemple que ces deux vers de l'*Ame en peine* (1838), élégie que Lucien Descaves qualifie de « nébuleuse, étrange et troublante » et que je trouve, au contraire, transparente :

Mais je ne peux l'aimer qu'à beaucoup de distance,
Et qu'en un grand péril lui prêter assistance.

Ne concevant pas l'existence sans Latouche, « L'air respiré par lui convient seul à ma vie... » l'auteur des *Pleurs* préféra le rencontrer en ami que de ne plus le voir :

Et je l'aimais... pitié! je l'aime encor... pardon!
Il a de tout charmer le désir et le don...

Pendant des années elle accepta les inquiétudes de l'amour sans en connaître les joies. Parfois — et c'est toujour l'*Ame en peine* qui nous éclaire à ce propos — elle rôdait sous les fenêtres de « l'ermite d'Aulnay », ravagée par une jalousie dont elle n'avait même pas le droit de se plaindre :

Je crois voir l'ombre double et m'envole éperdue.

Elle supporta tout :

Je n'ai ni paix ni trêve et j'aspire toujours,
A qui versa tant d'ombre et de ciel sur mes jours!

jusqu'au moment où elle se heurta à l'impossible : l'attrait que semblait éprouver son ancien amant pour sa fille et la terreur qu'il ne révélât son passé. A tort ou à raison elle crut que cet être corrosif était capable de toutes les dépravations, et qu'il n'hésiterait devant aucun moyen de vengeance. Tel fut le drame qui acheva de la briser et qui l'éloigna à tout jamais de Latouche.

Pourtant, elle pardonna encore, ainsi qu'en témoignent les vers écrits après 1839. Derniers chants d'amour de la poétesse, aussi fervents que les premiers, tous expriment une volonté de don total en un style exalté qui rappelle la phrase de Beethoven et font entendre ce que Baudelaire appelait, en parlant de leur auteur : « les explosions magiques de la passion ».

La perte de son amant, la vieillesse, rien de ce qui aurait dû ralentir les élans de cette âme meurtrie ne put atténuer sa tendresse. La lettre qu'elle envoya à Sainte-Beuve, à la mort de Latouche, se termine par un véritable plaidoyer en faveur du disparu : « Quel immense empire n'a-t-il pas dû obtenir sur ses colères ? Quelle grandeur silencieuse de ne s'être pas vengé, lui dont l'orgueil brûlant s'est cru tant de fois si mortellement offensé, car le craindre, c'était l'insulter ! Il faut trouver dans ce courage qu'il a eu, muet et solitaire, de quoi racheter toutes les larmes qu'il a fait couler. Vous le pensez, n'est-ce pas ? Oh ! pensez-le, dites-le, comme vous savez tout dire, pour être équitable, car il y a des choses qui sont entendues entre ciel et terre, et qui peuvent consoler partout ! ». Paroles de mansuétude dont l'écho se prolonge dans un des derniers et des plus beaux poèmes que Marceline écrivit :

> *Allez en paix, mon cher tourment,*
> *Vous m'avez assez alarmée,*
> *Assez émue, assez charmée...*
> *Allez au loin, mon cher tourment,*
> *Hélas! mon invisible aimant!*

Non, quoi qu'en pensent Lucien Descaves et Jasques Boulenger ce n'est ni le souvenir d'un amour de jeunesse, ni un amour imaginé qu'exalte ce poème comme tous ceux qui furent écrits après le mariage, mais les enchantements et les déboires d'une passion vécue au jour le jour, pendant des années. On ne rend pas une expérience ancienne ou fictive avec une telle richesse de nuances psychologiques, avec ces cris de l'âme et de la chair.

Allez en paix, est le point d'orgue de cette symphonie dont les accents pathétiques ne s'expliquent pas seulement par les événements que j'ai contés.

Toute la vie de la poétesse prouve qu'elle n'était pas faite pour la duplicité à laquelle son amour la contraignait. Forcée de dissimuler, elle éprouva toujours vis-à-vis de son mari un sentiment de culpabilité qui la déchirait et ne fut pas sans exercer quelque influence sur le climat de sa poésie.

« Les hauts et nobles orages » des élégies valmoriennes, ces « éclairs » de l'extase amoureuse sans cesse poursuivie et perdue sont d'autant plus éblouissants qu'ils se dessinent sur le ciel sombre d'une âme ravagée par le remords.

« *Tu ne sais donc pas comme tu es moi, comme j'existe à présent de toi seul, du besoin d'être là, de sentir tes mains, tes yeux sur moi; cet amour, cette âme sincère et pure qui tourne autour de ma vie qui, sans toi, ne me serait plus supportable. Va! tu peux me donner, j'ai de quoi te rendre et, si tu as le bonheur d'aimer ta femme, j'ai celui de te préférer à tout l'univers* ».

(Lettre de Marceline à Prosper)

VALMORE avait peu de talent et peu de chance. Sa vie d'acteur débute par une histoire héroï-comique. En 1813, il jouait dans l'*Amphytrion* de Molière, le rôle de Jupiter. La foudre à la main, il se trouvait suspendu dans les airs comme il se doit, lorsque soudain la corde qui le maintenait se rompit. Notre dieu en fut éreinté pour quelques mois.

Cet incident symbolise assez bien une carrière qui le mènera de chutes en chutes, à un humble poste d'employé à la Bibliothèque Nationale.

Entre 1821 et 1837, le comédien devait être à diverses reprises engagé à Lyon ; il donna également quelques représentations au théâtre de Rouen, mais il y fut sifflé. En 1838, il fait partie d'une troupe française qui joue à Milan pour les fêtes du couronnement de l'empereur Ferdinand. Les spectacles n'ont aucun succès et l'impresario ne peut payer les artistes. Le retour est d'autant plus pénible que

H. de Latouche

(D'après le médaillon de David d'Angers).

Prosper Valmore,

(D'après Ch. F. Richardot).

Prosper a emmené sa famille avec lui. En 1846, l'acteur se voit confier un poste de régisseur au Théâtre de la Monnaie à Bruxelles. Un an après, il lui faut l'abandonner, le Théâtre ayant fait faillite.

Lyon est la seule ville où il ait été apprécié, bien qu'on lui reprochât « sa voix trop peu mordante » et « ses gestes empesés ». Mais Prosper n'avait d'yeux que pour Paris. Jusqu'en 1834 il caressa le rêve d'entrer au Français, date à laquelle ce dernier espoir sombra, en dépit des efforts de Harel, de Mademoiselle Mars, de Dumas et de Marceline elle-même. Semblables tribulations l'avaient aigri et la vie avec lui ne fut guère commode. Pourtant, il y a quelqu'injustice à le comparer, comme on l'a fait si souvent, à l'illustre Delobelle. Il ne se croyait pas méconnu, se rendait compte de la médiocrité de ses dons d'artiste et en souffrait atrocement. Mais il espérait se parfaire. Scrupuleux, il se tuait à la tâche pour n'aboutir le plus souvent, il est vrai, qu'à des demi-réussites.

Ne vivant que pour sa famille, il n'avait rien, non plus d'un égoïste. Au cours de ses tournées, il se privait de l'indispensable pour envoyer à Marceline des parures qui la faisaient rougir de plaisir et de confusion. Il adorait sa femme et, hormis de rares passades que justifiaient les facilités de son métier et qu'il lui avoua d'ailleurs, il fut un mari fidèle.

Jaloux et méfiant par tempérament, il l'était d'autant plus qu'il aimait ; son épouse devait à tout moment le rasséréner : « Je lis et relis ce que tu as la cruauté de me dire sur ma tendresse, je pleure et je t'accuse dans mon étonnement. Quoi ? Cette pénible patience de t'avoir caché mes tourments n'est pas mieux payée, cher et ingrat ami ! ».

On comprend d'ailleurs les inquiétudes du pauvre homme. Certes en parcourant les deux volumes de la correspondance que Marceline lui a adressée, on a l'impression qu'il ignora toujours le nom du père de Marie-Eugène, mais il n'en était pas moins tourmenté lorsqu'il lisait les poèmes ardents que celui-ci avait inspirés. Il se demandait, avec angoisse, si le passé trop bien évoqué était définitivement aboli. Sa femme ne cessait de le rassurer à ce sujet. En 1846 encore, à l'âge de soixante ans, elle lui écrivait : « Pourquoi lis-tu les mièvretés que j'ai écrites ? Ce n'est ni fort, ni sain, dans l'ennui dont je voudrais te guérir. Non, je n'ai pas souffert tout ce que ces pages racontent. Je peux te montrer des lettres de notre pauvre Pauline (Duchambge) qui ont servi de texte aux élégies dont j'avais, il est vrai, les éléments dans mon organisation. Les orages qu'elle me racontait, je les mettais en vers. J'en ai eu aussi, mais ne me plains pas de tous ceux que tu lis avec attendrissement. Et puis, mon cher et bien-aimé, tous ces tristes oiseaux ont fait place au doux repos de l'âme ».

A s'en tenir pourtant aux lettres qu'elle envoyait à la « pauvre Pauline », huit années auparavant (1838) ainsi qu'aux événements que j'ai contés, il est hors de doute que ces affirmations sont inexactes.

Malgré ses soupçons, malgré sa jalousie, Valmore voulut que les poèmes d'amour fussent publiés et se réjouit généreusement du succès qui les accueillit.

Négligeant de louer la noblesse de ce caractère, les biographes ne se sont toutefois pas privé d'en dénoncer les ridicules ou les noirceurs. Certains ont affirmé que, mari complaisant, il connaissait les sentiments de Latouche et acceptait son amitié. L'honnêteté du personnage, son sens parfois excessif de l'honneur, son tempérament exclusif démontrent à suffisance la méchanceté et l'absence de fondement de pareilles suppositions.

On a prétendu aussi que sa femme ne l'avait jamais aimé et qu'elle l'avait épousé par raison, « ainsi qu'on se retire à la campagne lorsqu'on est fatigué des villes trépidantes » (1). Appréciation bien sommaire et qui ne correspond guère à ce que nous connaissons d'elle. La vérité n'est pas aussi simple. Il est presque certain, au contraire, que Marceline ressentit pour le beau Valmore un vif attrait. « Quoi ! la vie est donc le bonheur ! », s'exclame-t-elle au lendemain du mariage. « Que Dieu te comble d'une félicité pareille où je suis. Je ne sais où je suis : dis-le moi, mon amour ! Oh ! oui, Tomy, prends garde à ma vie, — on meurt de joie. As-tu vu hier, as-tu vu ma tendresse ? Dans ma douleur... dans l'ivresse qui l'a suivie ?... Quelle âme tu m'as donnée ! », etc. Nombre de lettres qu'elle lui adressa par la suite sont écrites sur le même ton.

Que Prosper ait apporté à son épouse la joie des sens, on ne peut le nier. Elle lui en fut d'autant plus reconnaissante que sa robustesse flamande et l'ardeur de son sang espagnol la rendaient particulièrement sensible aux plaisirs de l'amour physique.

Elle savait gré aussi à son mari de lui avoir donné des enfants, le foyer dont elle rêvait depuis son adolescence. De plus, elle éprouvait pour lui cette maternelle sollicitude que beaucoup de femmes mêlent à l'amour lorsqu'elles arrivent à la maturité. Elle soutint toujours son époux avec un courage et une persévérance qui éveillent l'admiration, n'arrêtant pas de panser les blessures d'amour-propre du comédien : celles-ci n'étaient pas rares. « Ton talent est réel,

---

(1) André Beaunier : *Visages de Femmes.*

affirme-t-elle, et tu plais toujours quand tu veux plaire, sois sûr de cela ». Mais ses bras étaient bien faibles pour « faire une égide » à ce pauvre raté. Lui refusait d'ailleurs toute consolation. Il s'enfonçait dans un désespoir d'autant plus profond qu'il croyait peser sur le destin d'une femme de génie. Elle pourtant le tranquillise : « Je ne veux que toi, je n'aime que toi. Je t'en prie, ne me parle pas de couronne, de talent, de rien du tout. La vanité ne tient pas de place dans mon cœur plein de tendresse ». Rien d'aussi vrai; la santé et le confort de Prosper la préoccupèrent bien plus que sa propre gloire. Dans ses lettres, elle ne cesse de lui demander s'il mange à sa faim, s'il a préservé ses vêtements des mites, s'il n'a pas oublié ses chemises et ses pantoufles. Maternelle inquiétude, mais aussi souci de ménagère flamande, plus fière de la netteté de sa maison que du succés de ses poèmes. L'auteur des *Pleurs* vante souvent la manière prompte dont elle compose d'excellents potages, ou de délicieux plum-puddings. Faut-il se passer de servante ? Elle ne gémit pas, estimant qu'on y gagne près de cent francs par mois, ce qui permet de réduire les dettes. Ah, ces dettes qu'on s'efforce de payer régulièrement ! Ses lettres fourmillent de chiffres scrupuleusement additionnés : 161 frs pour le billet Lainé, plus blanchissage et 14 frs pour frais de renouvellement des billets en gage. Elle lutte contre la misère sans se plaindre. A peine exprime-t-elle par moment l'espoir d'un asile sûr, « quelque part que ce soit, loin de l'intrigue, de l'erreur, des fausses illuminations, des affreuses antichambres ». Elle a 60 ans quand elle écrit ces mots. Ce rêve petit bourgeois d'un logis décent avec un pot de fleur à la fenêtre et toute sa couvée rassemblée autour d'elle, elle ne le réalisera guère car le métier de Valmore exige de continuels déplacements.

Le sort pourchassera la pauvre femme d'une ville à l'autre — Paris, Rouen, Lyon — vers des habitations haut-perchées : « 27 marches de moins que la maison que nous quittons », s'écrie-t-elle pourtant avec joie. Commodité bien provisoire. A peine installée, il lui faut plier bagage. C'est alors le cahot des diligences par les nuits humides sur les routes boueuses, les gosses et les malles à caser. Chaque départ exige un plan de bataille que la pauvre femme élabore devant son feu solitaire. La tête lui tourne. Elle brûle de s'en aller et tremble d'oublier cols et cartons, matelas et couvertures, mais n'omet toutefois pas d'envoyer le simple mot qui apaisera Prosper : « Je vais à travers toutes choses comme un soldat ».

Ces ennuis ne sont rien d'ailleurs au prix des humiliations qu'elle doit subir : implorer secours et pensions, emprunts et droits d'auteur ou solliciter des engagements pour son mari afin d'épargner son ombrageuse fierté, la brisent et la mortifient. Telle fut la vie de Marceline, sans cesse bousculée entre le déménagement et les démarches, la cuisine et l'éducation des enfants, le courrier et les commandes à livrer aux éditeurs. Où puisait-elle tant de force? La poétesse parlait constamment de ses états fiévreux et de sa faiblesse. Mais ne cédait-elle pas un peu à la mode de l'époque où toute « muse romantique » se devait d'être languissante ? En réalité l'innombrable activité de Marceline tendrait au contraire à prouver sa vigueur et sa résistance.

D'aucuns penseront qu'épouse coupable elle voulait se racheter en partageant les difficultés de son mari, en multipliant les témoignages de compréhension et d'affection. Mais sont-elles nées du sentiment du devoir ces lettres de femme énamourée, éperdue de gratitude pour celui qui l'a choisie ? « L'amour seul console l'amour. Celui que je te porte m'étreint d'une telle force, qu'il m'attire hors de l'abîme où les souffrances m'ont plongée. Je me jette souvent vers toi, toute noyée d'amertume. J'attends tes lettres, comme on attend le jour dans les insomnies ».

Voyez son désespoir lorsqu'elle est séparée de Valmore, ses serments, ses promesses de regarder, chaque soir à la même heure, la même étoile que lui. Pourtant lorsqu'elle écrit ces mots, les époux ne sont plus des jouvenceaux. Ils ont cinquante huit et cinquante et un ans ! En fait, tout en composant d'ardents poèmes pour son amant, elle ne conçut jamais un seul instant la vie sans son mari. Que dis-je, la vie ? pas même la vie future ! « Pourquoi, soupire-t-elle, si j'entre un jour où sont les anges, dis-tu toujours que tu pleureras à la porte ? Ce serait une belle félicité que tu me présagerais là ! Laisse-moi donc mes certitudes sur la justice adorable de notre Auteur, je t'en prie. Nous serons là, comme ici, trop nécessaires l'un à l'autre pour qu'il nous sépare ».

Après de tels témoignages on ne peut guère admettre qu'elle ait subi le joug du mariage par raison.

Ne nions pas que la perspective d'une union avec Proper avait commencé par la troubler :

Oui, prête à m'engager en de nouveaux liens,
Je tremble d'être heureuse, et je verse des larmes;
Oui, je sens que mes pleurs avaient pour moi des charmes,
Et que mes maux étaient mes biens.

Elle terminait même son poème par cette étrange affirmation :

Et mon cœur fut créé pour n'aimer qu'une fois.

Certes, une extase voisine de celle des rêves, elle ne devait l'éprouver véritablement que pour l'amant qui, en la faisant souffrir, l'entraînait à se dépasser elle-même. Mais cela ne diminua jamais en rien la tendresse et l'attrait physique qu'elle ressentit pour son mari.

Aurait-elle aimé Latouche et Valmore en même temps ? Et pourquoi pas ? Combien d'hommes épris de leur maîtresse demeurent indissolublement attachés à leur épouse ? Ce drame, Marceline n'est certainement pas la seule femme qui l'ait vécu.

Pourquoi me tentez-vous, ô belle poésie!
Je ne sais rien. Pourquoi par vos mots d'ambroisie,
Arrêtez-vous, mon âme au bord de mes travaux
Et de ma main rêveuse ôtez-vous mes fuseaux?
Je vous aime partout : mais stérile écouteuse,
Ma raison n'eut jamais qu'une clarté douteuse.

TANDIS que son existence se déroulait à l'ombre des tourments et de la pauvreté, l'œuvre de Marceline Desbordes-Valmore s'acheminait vers la lumière.

Dès 1815, le *Chansonnier des Grâces* et l'*Almanach des Muses* avaient publié certaines de ses romances dant la vogue, au temps de Louis XVIII, nous étonne (1). Leurs titres : *L'Absence au rendez-vous*, *Gage d'amour*, *Vous le saurez*, *La Fleur renvoyée*, *le Rêve du Mousse*, indiquent à suffisance leur caractère « sentimenteux ». Sur une musique de Blangini, de Fontvanne, de Garat ou de Pauline Duchambge, elles parlent de roses fanées, de papillons et de serments.

Pour nous, elles n'ont plus que le charme des choses désuètes. Leur principal mérite aux yeux de l'historien, est celui d'avoir fait connaître, dès ce moment, le nom de la poétesse.

---

(1) Publiées, en 1928, par Bertrand Guégan.

Elégies, Marie et Romances, sa première œuvre, imprimée en 1819, fut rééditée sous divers titres, en 1820, en 1822, en 1825 et en 1830, enrichie chaque fois de pièces nouvelles (1).

La dernière de ces éditions, celle qui sortit des presses de Boulland est la meilleure. Le texte tout entier en a été revu et corrigé par Henri de Latouche.

Beaucoup de ces poèmes écrits de 1819 à 1825 foisonnent en effet d'incorrections et de clichés hérités du XVIIIe siècle — « zéphirs », « feux », « appas », « pavots du sommeil » ou « libres plaines des cieux » — et ressuscitent la fade atmosphère des bergeries à la manière de Madame Deshoulières ou les grâces de Parny.

On aimerait aussi que l'auteur ait éliminé de son œuvre un poème grandiloquent comme l'*Orpheline* et telles strophes où, en un style marqué par le mauvais goût de 1793, il est question de « lâche vautour, usurpateur affreux, cherchant un festin ténébreux ».

Pourtant, au milieu de ces faiblesses scintille déjà l'incandescente beauté des élégies : « Ma sœur il est parti... Ma sœur il m'abandonne », « J'étais à toi peut-être avant de t'avoir vu... » et « Peut-être un jour sa voix tendre et voilée ».

Ces confidences poétiques d'un lyrisme brûlant et tourmenté ont paru un an avant *Les Méditations* et trois ans avant la publication des premiers recueils de Hugo et de Vigny. Il n'est donc pas exagéré de dire que, contemporaine de Béranger, de Millevoye et de Casimir Delavigne, l'auteur des *Elégies* a donné le « la » au romantisme. Par l'expression instinctive de son moi, elle est même plus proche de

(1) Cf. bibliographie.

l'essence du romantisme que ne le seront un Musset et un Lamartine. Ainsi peut s'expliquer le succès qui accueillit ses débuts : « Il y a dans ces vers plus que de la poésie, écrira l'un des critiques, il y a une observation du cœur peut-être profonde ». Et il conclut : « Madame Desbordes-Valmore n'a encore obtenu que la moitié du triomphe réservé à un talent tel que le sien ». L'article est signé Victor Hugo et daté de 1821. Sept ans plus tard, Lamartine découvre à son tour, avec émerveillement, les œuvres de « la petite comédienne de Lyon » et lui adresse une pièce de 21 strophes dont celles-ci :

Cette pauvre barque, ô Valmore,
Est l'image de ton destin.
La vague, d'aurore en aurore,
Comme elle te ballotte encore
Sur un océan incertain!

Tu ne bâtis ton nid d'argile
Que sous le toit du passager,
Et, comme l'oiseau sans asile,
Tu vas glânant de ville en ville
Les miettes du pain étranger.

Bouleversée par les louanges du poète, Marceline répond par de beaux vers où elle se défend d'être géniale avec une modestie qui la distingue fort de beaucoup de femmes de lettres :

Car je suis une faible femme;
Je n'ai su qu'aimer et souffrir;
Ma pauvre lyre, c'est mon âme,
Et toi seul découvres la flamme
D'une lampe qui va mourir.

Elle n'avait rien en effet d'une Madame de Staël ou d'une Delphine Gay. Nul n'était plus éloigné du cabotinage que cette actrice qui s'était pourtant fait acclamer sur les scènes de Paris, de Bordeaux et de Lyon. Simplicité qui explique en partie ses réussites. « Elle trace des merveilles, s'exclamera Baudelaire, avec l'insouciance qui préside aux billets destinés à la boîte aux lettres ». D'où le charme ingénu et l'accent du « jamais dit » de ses poèmes.

Marceline s'expliquait d'ailleurs mal ce besoin d'écrire qui la harcelait. Elle se demandait pourquoi la poésie « l'arrêtait au bord de ses travaux » et s'adressait même des admonestations :

Je suis trop buissonnière, et ce n'est pas aux champs,
Qu'il faut aller apprendre à moduler ses chants...

Quelle ne fut pas sa surprise lorsque les plus grands applaudirent son « timide concert ».

Dès lors, elle se sentit tenue à s'initier au métier d'écrivain. C'est vraisemblablement Latouche qui l'aida à découvrir des poètes comme Burns, Byron, Nodier et Chénier dont les vers servent d'exergue à maintes pièces des *Pleurs,* le recueil qui parut trois ans après l'édition Boulland des *Poésies.*

C'est Latouche encore, qui la contraignit à parfaire une forme naturellement lâche. Et sans doute est-ce à lui qu'elle songe dans cette lettre adressée, en 1837, au critique Antoine de Latour (1) : « Je suis mon seul juge, et, n'ayant rien appris, comment me garantir ? Une fois en ma vie, mais pas longtemps, un homme d'un talent immense m'a un

(1) Pour le remercier de son article de la *Revue de Paris,* paru en décembre 1836.

peu aimée, jusqu'à me signaler, dans les vers que je commençais à rassembler, des incorrections et des hardiesses dont je ne me doutais pas... ».

L'auteur de *Fragoletta* qui n'hésitait pas à invectiver George Sand lorsqu'elle lui présentait un texte mal écrit n'a certainement pas dû ménager son amie. D'où « le style plus maniéré » des *Pleurs,* « le paysage plus vif et plus distinct », le « rythme serré » qui remplace le vers libre, l'apparition « de vieux mots rajeunis » et de « nouveaux hasardés », toutes transformations que Sainte-Beuve releva, non sans une nuance de regret et qui me paraissent néanmoins heureuses. Certes, le recueil de 1833 n'offre plus l'impétuosité des *Elégies,* avec cette « absence du rythme comme un ruisseau qui court » qu'aimait particulièrement l'auteur de *Volupté.*

Mais le vers a gagné en fermeté et en netteté :

Ne crains pas : j'ai langui dans un feu qui dévore;
J'ai porté ma couronne, et ma croix, et mes pleurs.

La prosodie s'est assouplie. L'auteur utilise les mètres brefs :

L'âme doit courir
Comme une eau limpide;
L'âme doit courir,
Aimer! et mourir.

d'une manière qui devait ravir Verlaine et dont il s'est d'ailleurs inspiré.

Quoiqu'il en soit, ces chants marquèrent l'apogée du succès pour la poétesse.

Toute autre femme en aurait été grisée et se serait crue obligée de l'entretenir en fréquentant les cénacles.

Mais après avoir remercié les critiques et les écrivains qui l'avaient encensée, Madame Valmore retourna « aux soucis du ménage, au berceau qui s'endort ». Le pot-au-feu n'attendait pas. Ses vers lui avaient déjà valu un jour de mettre trop de sel dans son dîner. « Le voilà conservé pour dix ans contre la peste » avait-elle dit en riant. Toutefois, il ne fallait pas que cela se renouvelât. Son âme de ménagère flamande ne l'aurait pas supporté. De plus, elle jouissait, entre ses quatre murs, d'un spectacle qui l'absorbait bien plus que celui de la vie littéraire : ses enfants.

La mère, n'est-ce pas un long baiser de l'âme ?
Un baiser qui jamais ne dit non ni demain ?

C'EST pour former et distraire ses gosses que Desbordes-Valmore inventa les histoires et les fables qui seront réunies dans l'*Album du jeune âge* (1830), le *Livre des mères et des enfants* (1840) et les *Anges de la famille* (1849) (1).

Beaucoup de ces poèmes et de ces récits qui rendirent leur auteur si célèbre ne nous touchent plus. Pourquoi ? Peut-être parce que de nos jours, les enfants de chez nous sont rarement démunis à ce point de pain, de chaussures ou d'un « petit oreiller » comme l'étaient les bambins au temps de Marceline.

Peut-être sommes-nous devenus moins sensibles à la misère du monde ? Toute réflexion faite, je crois que c'est le ton, bien plus que les sentiments, qui a dangereusement vieilli. Obnubilée par son affection de mère, l'auteur semble perdre, par moments, tout sens de la mesure. D'où le sentimentalisme à l'eau de rose, la mièvreté et la forme lâche, pleine d'adjectifs et d'interjections superflues. Enfin, il est possible que ce genre de poésie ne réponde plus, si elle l'a jamais fait, aux besoins de la sensibilité enfantine, qui sont

(1) Pour les autres volumes, cf. bibliographie.

comblés de nos jours par des écrivains tels que Franc Nohain, Marcelle Vérité et Maurice Carême.

Toutefois, certaines de ces fables nous enchantent encore par l'amusant parler de leurs personnages puérils.

Soulignons aussi une nouveauté de ces poèmes. En un temps où parents et maîtres usaient de sévères châtiments, Madame Desbordes-Valmore osa soutenir qu'une patiente explication est le meilleur des principes éducatifs :

L'âme qui vient d'éclore a si peu de science!
Attendez sa raison, mon Dieu! dans l'avenir.

C'est là crainte que sa mère soit blâmée qui changera la conduite du *Petit mécontent.* A Hippolyte qui refuse de se mettre au lit, Marceline montre la colombe, le cygne et la poule endormis dès la tombée du jour. La lune elle-même ne se couche-t-elle pas chaque soir dans son lit de nuages? (*Le coucher d'un petit garçon.*)

Qu'elle parle du loup ou de l'agneau, de la souris ou du papillon, elle le fait sur un ton souriant qui, par endroits, évoque la musique de Haydn.

Les meilleures fables qui sont d'ailleurs les moins connues ne manquent pas d'une sorte d'humour, d'une qualité fort rare dans l'histoire du romantisme. Démesurément fier de son éclat, le *Ver luisant* s'en vante jusqu'au jour où il est poursuivi par un rossignol qui :

...sans même goûter de plaisir à l'éteindre,
S'en nourrit, pour chanter plus longtemps sa douleur.

Quelle féerie la narratrice n'extrait-elle pas aussi du bourdonnement de la *Mouche bleue,* du crissement du *Grillon* ou du bref envol de l'*Ephémère :*

Bonjour! bonheur! adieux! trois mots pour ton soleil.
Et pour nous, que de nuits jusqu'au dernier sommeil!

Malgré ces qualités, les fables de Desbordes-Valmore sont inférieures aux poèmes qui exaltent uniquement la tendresse maternelle. Aucun poète n'a traité le thème d'un *Nouveau-né* qui est en quelque sorte une épopée de l'enfantement. Elle y évoque le temps où le petit était encore lié à sa chair : rêves confus, craintes superstitieuses, espoir que la beauté et le calme du paysage pénétreront l'âme de l'enfant :

Ou dans les roseaux verts je t'emportais pensive,
Pour t'abreuver du bruit de quelque source vive,
Qui m'ouvrant son cristal comme à l'oiseau plongeur,
Sur notre double fièvre épanchait sa fraîcheur.

Puis vient le moment de la délivrance qu'elle bénit et refuse à la fois :

Adieu!... je ne suis plus l'heureuse chrysalide,
Où l'âme de mon âme a palpité neuf mois.

Mais tout regret s'efface devant ce prodige qu'est la création d'un être par amour. Impression qui arracha vraisemblablement à Marceline cette exclamation : « Et si tendre, et si mère, et si semblable à Dieu ! ». Alors commence l'aventure la plus passionnante que puisse vivre une femme : la découverte de l'enfant, de sa voix, de son sourire, de ses premiers pas :

Mon jeune lierre,
Monte après moi!

Faibles plantes dont la croissance ne va pas sans éveiller quelqu'inquiétude, « Tournons-les au soleil et restons au

Mme DESBORDES-VALMORE. — D'après une miniature de A. Robillard.

La ville natale de Marceline Desbordes-Valmore,

Corot, Le Beffroi de Douai (Louvre).

malheur... », écrit la mère, espérant qu'elles échapperont aux tempêtes qui ont ravagé son existence.

Viens donc ma vie enfant! et si tu la prolonges,
Ondine! aux mêmes flots ne l'abandonne pas.

Attente recueillie de la naissance, émerveillement devant la fraîcheur et le velouté d'un être neuf, besoin de revivre en lui, désir de le préserver en le rattachant à soi, voilà ce que reflètent les poèmes de l'affection maternelle. Tout imprégnés d'une instinctive chaleur, ils n'ont rien perdu de leur rayonnement. C'est en les lisant que Baudelaire découvrit en Desbordes-Valmore « la grâce, l'inquiétude, la souplesse et la violence de la femelle, chatte ou lionne, amoureuse de ses petits ». Nul poète en effet, n'a donné à ce point la sensation concrète du lien physique qui unit la mère et son enfant :

L'amour, ce ciment des âmes,
Ce pur anneau de deux flammes
Qui luttent contre le vent,
Loin que l'absence l'altère,
Là-bas où finit la terre
Rejoint la mère à l'enfant!

Ce thème de la maternité, en quelque sorte animale, on le chercherait en vain dans l'œuvre de Louise Labé, de Renée Vivien et d'Anna de Noailles. Il est même curieux que Marceline ait été seule ou presque, parmi les femmes poètes, à avoir chanté une des plus riches expériences humaines qui soient.

Pourtant la joie que ressent la poétesse en contemplant ses enfants tombera dès que ceux-ci sortent de l'âge tendre.

Celle qui n'ignore rien de la psychologie enfantine, se

trouve décontenancée devant des adolescents, devant leur hâte à s'évader du nid familial. Elle se révolte à l'idée que des maîtres d'école lui arracheront son gosse :

Dire qu'il faut ainsi se déchirer soi-même,
Leur porter son enfant, seule vie où on s'aime.

Elle accepte malgré tout de livrer Hippolyte à la discipline du collège, mais avec quel désespoir :

Candeur de mon enfant, on va bien vous détruire!
Quand je le reverrai, mon fils sera savant;
Il parlera latin! Hélas, mon pauvre enfant,
Moi, je n'oserai plus peigner ta tête blonde.
Tu parleras latin! Ta science profonde
Ne pouvant avec moi suivre un long entretien,
Tu diras tout surpris : « Ma mère ne sait rien! »

Craintes superflues d'ailleurs, car ce brave garçon sera le plus sûr appui d'une mère qu'il adorait et respectait.

Après avoir terminé ses études, il prit quelques leçons de peinture, mais il ne persévéra guère et finit par accepter un poste de surnuméraire au Ministère de l'Instruction publique.

Sans être un sot, il ne brillait guère par l'intelligence. En compagnie d'Auguste Lacaussade, il porte la responsabilité (le mot n'est pas trop fort !) de l'édition posthume des poésie, de Marceline Desbordes-Valmore qui a paru chez Lemerre. Quatre volumes, farcis d'erreurs et qui, de plus se prétendent complets ! Or, mû par un pieux et maladroit scrupule, le fils a écourté ou supprimé tous les poèmes qui pouvaient jeter une ombre sur le comportement de sa mère.

Celle-ci aimait d'autant plus son premier-né que son mari l'appréciait peu. Ses lettres à Valmore contiennent de véritables plaidoyers en faveur du jeune homme. Tel de leurs amis lui a trouvé « une intelligence fort peu ordinaire », il est « si bon, si sobre, si raisonnable ». Comme ses goûts ressemblent à ceux de son père ! Mais c'est précisément cette ressemblance qui irrite et peine Prosper. Celui-ci retrouve en Hippolyte tous les défauts — excès de scrupules et absence d'imagination — qui en ont fait un raté.

A l'opposé de leur frère, les demoiselles Valmore avaient une nature renfermée et peu malléable qu'explique en partie leur frêle santé. Inès était douée pour la couture et pour la musique. Mais atteinte, dès son jeune âge par la phtisie, elle n'avait guère de force pour se tenir à la tâche. Condamnée au repos et à l'ennui, elle enviait l'activité et les succès scolaires d'Ondine. Elle en conçut bientôt une jalousie qui dégénéra en haine. Quand le mal s'aggrava, Inés ne supporta même plus la présence de son aînée qu'il fallut éloigner du logis.

Bientôt tout espoir de guérison fut perdu. Marceline veilla sa fille cadette nuit et jour : « Une grande, grande épreuve, dit-elle. Une torture de tous les jours, de toutes les nuits ».

Elle vécut ainsi, partagée entre l'espoir et la terreur jusqu'au 4 décembre 1846, date à laquelle Blanche-Inès s'éteignit. Elle avait 21 ans. Toute l'affection de Marceline se porta dès lors sur Ondine, la plus remarquable de ses enfants. Mais celle-ci n'avait guère le temps de répondre aux effusions maternelles, absorbée comme elle l'était par l'étude du dessin, du latin, de l'anglais, de l'italien et du polonais. Bien que peu résistante, la jeune fille avait décidé de devenir institutrice. Dédaignant les ouvrages de dame et les recettes de l'art culinaire, celle que ses proches appelaient Line était dévorée par un insatiable appétit de savoir et par l'ambition. Le seul goût qu'elle ait eu en commun avec sa mère, c'est celui de la poésie. « Il y a dix hommes dans cette tête-là et pas une jupe de femme », soupirait Madame Valmore qui n'avait rien appris au cours de tant d'expériences et croyait surtout aux vertus ménagères. Comment aborder cette fille qui ne se confiait pas et ne semblait guère touchée par son adoration ? Peu psychologue, elle ne comprenait pas que cette réserve dissimulait un caractère affectueux. Les poèmes qu'Ondine lui adressa débordent de reconnaissance pour celle qui lui a transmis ses dons.

...Le divin héritage
M'a mis l'espoir dans l'âme et la foi dans le cœur.

En vérité, aimant sa mère, éblouie par le poète, elle était agacée par la femme, trop expansive à son gré. D'où son attitude distante qui désespérait Marceline : « Quoi ! s'écriait celle-ci, cet amour-là aussi fait le même mal ».

D'autre part, elle s'inquiétait de voir que son « ange de fer » ne semblât guère songer au mariage. De fait, Sainte-Beuve est le seul homme que « la charmante lettrée » ait aimé. Celui-ci se lia avec les Valmore vers 1837. Il avait trouvé chez eux un foyer accueillant et y venait à toute occasion bavarder avec une femme dont il admirait le caractère et le talent.

Ondine avait à cette époque 17 ans. L'auteur des *Lundis* ressentit bientôt pour elle un penchant marqué. Sans la trouver jolie, il était toutefois ravi par sa délicatesse : elle avait, selon lui « quelque chose d'angélique et de puritain, un caractère sérieux et ferme, une sensibilité pure et élevée ».

Les amours troubles par lesquelles il était passé lui

faisaient apprécier tant de candeur et de fraîcheur. Line s'efforçait d'égayer l'âme désenchantée du célibataire. Dans les poèmes qu'elle lui a dédiés, elle le traite avec malice et gentillesse de « savant inexorable », lui reprochant de détruire les roses pour y trouver un ver.

En 1844, elle entra comme sous-maîtresse dans le pensionnat de Madame Bascans, situé 70, rue de Chaillot. Elle y menait une existence fatigante qui n'était toutefois pas entièrement dépourvue d'agréments. Certains soirs, Madame Bascans recevait dans son salon des professeurs et des écrivains, Sainte-Beuve était du nombre. Les institutrices servaient le thé ; puis on whistait, on jouait aux « bouts rimés » et aux « petits papiers », divertissements dont le critique et Mademoiselle Valmore raffolaient. Tout cela était bien fait pour enchanter l'auteur des *Lundis.* « L'ami de la poésie lakiste et des nuances morales gris-perle, dit Jules Lemaître, devait se plaire dans ce monde modeste, gracieux avec décence, un peu mélancolique au fond, de jeunes institutrices ». Chez les Bascans sa gaucherie et ses habits mal taillés n'offusquaient personne et la savante Ondine était moins sensible que toute autre à la toilette ou à l'élégance des manières. Sainte-Beuve possédait à ses yeux l'essentiel : la bonté, l'intelligence et l'érudition. Il lui expliquait Horace et Pascal. Elle lui faisait connaître les poètes anglais et tous deux s'en trouvaient satisfaits.

Devant tant d'affection réciproque et tant de goûts communs, chacun se mit à penser au mariage, mais chacun à sa façon. Madame Valmore l'espérait, sa fille en rêvait, Sainte-Beuve y réfléchissait. Il avait même parlé de ce projet à Madame Bascans ? Mais par la suite ondoyant comme toujours, il se montra « fort hésitant sur la résolution définitive ».

Le manque de fortune d'Ondine, sa fragilité, sa jeunesse — elle avait 17 ans de moins que Sainte-Beuve — n'étaient point faits pour hâter sa détermination. Au reste, depuis la fin de sa liaison avec Angèle Hugo, l'auteur de *Volupté* avait gardé une amertume que des aventures peu avouables avaient encore accentuée. Unir son cœur souillé à celui d'une jeune fille, rompre avec ses habitudes de célibataire, tout cela l'effraya au point qu'en 1848, il se déroba. Mais il conserva toujours un vif regret de cette décision.

Trois ans plus tard, Ondine épousait Jacques Langlais un avocat resté veuf avec deux enfants. Son « sérieux bonheur » fut de courte durée. Elle mit au monde un garçon qui mourut peu après sa naissance. Et dès lors, la santé de la jeune femme alla en déclinant. Elle expira le 12 février 1853, âgée de 31 ans à peine. Son testament dévoile toute l'étendue du sentiment qu'elle avait éprouvé pour Sainte-Beuve. Elle léguait au critique une boucle de ses cheveux ainsi que tous ses vers : « Ce n'est point par présomption, écrivait-elle, que je lui fais un semblable don, mais par affection et reconnaissance, la plupart ont été écrits à cause de lui et pour lui. Je l'ai beaucoup aimé ».

Ces poèmes dont certains ont été publiés par Jacques Boulenger (1), d'autres par Albert Caplain (2) sont inégaux. Nombre d'entre eux déçoivent par leur mièvrerie, mais il en est dont la juvénile fraîcheur et la fermeté du langage enchantent. D'une façon générale, ils révèlent un tempérament très opposé à celui de Marceline. L'auteur des *Pleurs* qui ne fut jamais maladive exhale, dès ses premiers

---

(1) A la suite de sa biographie d'Ondine Valmore.

(2) *Les cahiers inédits d'Ondine Valmore* qu'il a découverts et publiés en 1932.

recueils, les soupirs d'une âme prédestinée à la tristesse, alors que la frêle Ondine écrit sur un ton enjoué :

Cueillons le jour. Buvons l'heure qui coule;
Ne perdons pas de temps à nous laver les mains;
Hâtons-nous d'admirer le pigeon qui roucoule,
Car nous le mangerons demain.

Chez elle, la joie de vivre éclate à tout instant.

En général qu'il s'agisse de Marie-Eugène ou de ses trois filles, Marceline n'a guère su parler de la mort de ses enfants.

Bien que *Rêve Intermittent d'une nuit triste* ait été écrit au chevet d'Inès mourante, sa plus jeune enfant n'y est pas évoquée. Elle y dépeint uniquement Ondine, comme si elle voulait se raccrocher à la seule chance de survivre qui lui reste.

Le poème noté d'une main fébrile est, en réalité, une protestation contre les affres de cette agonie.

Inès, des *Poésies Inédites*, ne compte que huit vers dont chaque mot semble né d'un effort surhumain :

Toi, rentrée en mon sein, je ne dis rien de toi
Qui souffres, qui te plains, et qui meurs avec moi!

La sobriété de l'expression chez cette femme habituellement si expansive donne la mesure de son abattement.

Elle n'a rien dit non plus de la mort d'Ondine ; elle pleura cependant plus qu'aucun autre de ses enfants, celle qui avait été liée, sans le savoir, à un des épisodes les plus douloureux de son existence, celle qui s'était parfois montrée aussi inaccessible à sa tendresse que l'homme dont elle était l'enfant.

Des poèmes tels que *Prière pour mon amie* montrent pourtant que Marceline fut constamment obsédée par les visages absents :

Un enfant! souffle d'ange épurant le remords!
Refuge dans la vie, asile dans la mort!

et qu'affamée de chérir, elle proclama de tout son être le droit à la maternité qui lui fut tant de fois ravi :

Elle n'a plus d'enfant, sa tendresse est déserte;
Plus un rameau qui rit, plus une plante verte,
Plus rien. Les seules fleurs qui s'ouvrent sous ses pas
Croissent où les vivants ne les dérobent pas.

A vrai dire de tels cris lui échappent rarement.

Les autres drames de son existence, elle pouvait les chanter. Mais en présence de l'inacceptable, ce fut le silence ou le demi-silence. Il n'empêche que cette souffrance apparaît même quand Desbordes-Valmore ne l'exprime pas. Les larmes cristallisées que sont certains de ses vers — les derniers surtout — ont jailli d'un cœur atteint par les seules blessures dont on ne guérit pas.

Toutefois, si elles n'avaient exprimé que les tourments de la poétesse, ses œuvres n'auraient pas cette ampleur qui les met à part de tant de recueils de la poésie féminine. Mais amante, épouse et mère, elle était encore une femme sensible aux sentiments de l'amitié et de la fraternité.

Bordeaux, le 24 janvier 1825.

Cher oncle, j'étais inquiète de votre silence parce qu'on m'avait dit que vous aviez la fièvre, cette idée se mêlait à toutes les autres et enfin j'ai écrit à Monsieur Albert qui vous le dira sans doute pour qu'il me fasse sortir de cet état de souffrance. votre bonne lettre est venue avant-hier me consoler sans pourtant me [illegible] entièrement. non, elle m'a laissé une impression de tristesse que je ne peux vaincre. vous auriez dû [illegible] c'est à une [illegible] que vous écriviez en m'écrivant. je l'ai pressée sur mon front et couverte de mes larmes. je devine toutes vos pensées votre position la mélancolie invincible est [illegible] sur vous comme sur moi-même. ah! mon oncle, tout cela est bien triste et l'absence pour des gens comme nous est peut-être une des plus poignantes infortunes du monde. nous avons celle-là sans compter les autres. comment voulez-vous que je sois forte et sans tristesse? mais comment aussi ne croirais-je pas de tout mon cœur et comme vous à la certitude d'une autre existence? je m'y jette en espoir, j'y vois ceux que j'aime je les presse sur mon cœur avide de tendresse et de repos qui n'a jamais été pour moi ici. si ce n'est dans les premières années où tout est beau quand même, où l'on accueille le bonheur comme une chose due, et le malheur comme s'il se trompait d'adresse. je viens d'être malade à l'improviste comme il m'arrive plusieurs fois dans l'année. c'est une secousse nerveuse inattendue et toute intérieure, qui sans m'aliter, sans fièvre me frappe de stupeur et me donne pendant quelques jours l'air d'une personne de l'autre monde. mes traits s'altèrent et prennent une expression de tristesse qui n'est que trop le miroir de mon âme. vous m'avez vu ainsi quelquefois sans y rien comprendre, les médecins non plus, et moi encore moins. dans cet état je [illegible] comme après une longue maladie, et le tiers de mon existence s'est passé ainsi.

Lettre de Marceline Desbordes-Valmore
à son oncle Constant Desbordes (inédite).

avec plus de force pour lutter contre ces atteintes, je ne vous y crois
pas étranger vous même, mon cher oncle, et je vous plains
nous avons encore une similitude, c'est notre malheur en amitié
vous voyez tomber vos compagnons de voyage, et ces tableaux
laissent une trace longue et douloureuse dans votre existence
je suis pareille à vous. seulement depuis mon séjour à Bordeaux
dans une maison d'excellentes gens qui m'avaient accueillie
j'ai vu différentes crises et ce deuil a rouvert toutes mes
blessures. oui vous m'avez parlé de mon Gustave et de son
père. oui mon oncle. Dieu est là! [illegible] lui parle toujours
quoique pas digne d'en être entendue, mais ceux qui m'aiment
prieront pour moi, et si les larmes comptent j'en aurai encore
à lui offrir.
pourquoi achetez-vous des livres quand je vous ai supplié de ne
pas le faire? si vous étiez riche, ce serait [illegible] alors, mais hélas!
moins que moi encore et c'est bien peu. demandez-en à l'officier
il vous en donnera pour mon compte, je les lui remplacerai
sans argent. je n'ai pas encore reçu les miens et je ne connais
pas ce volume. si vous en êtes un peu content c'est beaucoup
pour moi et pour ce qu'il vaut. j'avais crayonné une
pièce à mon oncle. je l'achèverai ce printemps j'espère
pour une seconde édition avec les premières poésies. pour ce
moment ci il n'est question que de vivre, de me bien
tourmenter de notre sort avec vous et de rêver au moyen
de nous réunir. mon Dieu, mon oncle, un mot de Madame
Alibert au Roi que l'on dit bon au bien d'un ministre
et Valmore rentrerait aux Français. comme [illegible]
il n'y en a pas de mieux que lui comme comédien je
vous assure que sans être un Fleury, il a des qualités
essentielles, un ton parfait et très rare, et un physique
très beau. s'il en était ainsi, mon père se retirerait du théâtre
dans quinze mois jetterait le petit plan de notre retour à
Paris. ils sont tous deux passionnés pour les livres et qui sait,
un cabinet littéraire en les occupant selon leurs goûts
serait peut-être la source d'une existence humble, mais
stable qui comblerait alors le vœu de mon cœur, j'ose
croire le vôtre, et je puis vous attester le leur, en me voyant
heureuse dans mes affections, qui me font toujours pleurer par des

[illegible] [illegible] je serais ainsi moins loin de Notre pauvre exgénie enfin voilà mes vers ; qu'en dites-vous ?

Sinon il faudra bien que vous veniez à Bordeaux où nous prendrons peut-être le même établissement, car c'est le vœu de mon [illegible] [illegible] de son fils. Vos livres – ne m'ôtez pas une si douce idée c'est pour moi un rayon de soleil faites en quelque chose [illegible], mon oncle, pour passer le mois de février

J'ai écrit à Monsieur Gérard j'ose espérer de manière à réveiller ses bons sentiments pour vous. hélas non je n'irai pas lui rendre visite mon bras sous le votre ce serait encore une fois pour [illegible]

vous [illegible] [illegible] change cette idée me poursuit

il me semble que je vous vois [illegible] et je suis abattue.

[illegible] mon oncle [illegible] [illegible] de quelqu'un avant ? ce serait à [illegible] [illegible] que vous [illegible]

vous [illegible] et il [illegible] je vous avais pas. vous l'aurez [illegible] votre [illegible] et moi mon oncle, je suis sa fille —— [illegible] excellent homme, j'ai craint [illegible] vos malheurs.

[illegible] aussi Madame de [illegible] [illegible] elle n'est pas [illegible] Bordeaux elle sera [illegible] Notre plus tard.

Nous recevrons avec reconnaissance un marque de souvenir de Monsieur de [illegible]. comment [illegible] t-il que je réponde bien aux témoignages de bonté de Madame Gay ? je l'ai cru mais elle me l'a du moins assuré. au reste, je puis dire avec vérité que depuis qu'elle m'a cherchée à Lyon, elle a toujours été bonne avec moi, toujours la première à m'obéir. j'aime son charmant talent, et j'admire son esprit. Si elle n'est pas sincère, d'où vient qu'elle me recherche, moi inutile au monde, si ce n'est pour aimer de toute mon âme quelques êtres que j'en crois dignes ? enfin, je n'ai pas recherché cette dame trop brillante pour entraîner ma timidité naturelle mais jamais à présent, je ne serai la première à l'éviter avec affectation.

J'ai vu le journal dont vous me parlez. Si vous en découvrez l'auteur qui paraît informé de mon sort, offrez-lui ma reconnaissance cet article est plein d'indulgence et de bonté pour moi, mais il est amer pour les femmes en général, et tout mon plaisir est troublé par là. Sans doute, mon oncle, les femmes ne sont pas toujours bien, mais elles sont souvent si à plaindre –

que si l'on y pensait on n'acquit pas la cour de tes accents.
j'attends toujours les livres qui me reviennent — j'en voudrait un pour moi avec deux ou trois esquisses dessinées pour vous, si quelque sujet vous parlait vous me feriez un plaisir que vous devinez bien.

Adieu, mon oncle, oui toujours au revoir. Repensez à mon petit plan d'avenir, valmore voudrait bien qu'il réussit et son père n'a pas d'autre vœu. je vous embrasse d'âme pour moi et mes petits enfans. vous donnerez des leçons de dessin à hypolite, moi je lui apprends à lire la petite qui a trois ans connait ses lettres. ils parlent tous deux garçon à faire frémir. Portez-vous mieux, aimez votre amie et votre nièce. Mme Desbordes valmore

BORDE[illegible]

Monsieur C. Desbordes
Peintre
rue Childebert n° 10
à Paris

Tant que l'on peut donner on ne veut pas mourir!

ALBERTINE, Caroline, Pauline !

Trois prénoms aux claires résonances de ruisseau, étroitement enlacés dans les lettres, les albums et les vers de la poétesse. Les amitiés de la jeunesse ont inspiré à Desbordes-Valmore des pages pleines de tendresse, reflets de ces conversations féminines faites de tout et de rien, où les plaintes d'un cœur brisé voisinent avec la description d'une robe de bal, où le futile et le sacré se mêlent avec une naïve hardiesse.

Des liens que Marceline tissa avec ces trois amies, aucun ne se dénoua.

Avide de solitude et de prière, Albertine Gantier, la première compagne de ses jeux, semblait destinée au couvent. Elle se maria pourtant. Mais elle mourut peu d'années après à l'âge de 32 ans. L'auteur des *Pleurs* ne se consola jamais de cette perte, car « la plus que sœur » est la seule de ses amies qui lui en ait imposé, par sa force d'âme et par sa chrétienne résignation. Aussi l'invoque-t-elle toujours comme le témoin de ses joies et de ses peines. Le visage de la jeune morte brille à la fois de l'éclat de la beauté morale, de la lumière des souvenirs d'enfance et des lueurs célestes. (*Le Mal du pays, les Amitiés de la Jeunesse.*)

A l'opposé de la blonde Albertine, la brune Caroline Branchu n'était point faite pour la prière et pour la méditation. Cette plantureuse créature fut, sous l'Empire, une des gloires de l'Opéra. La beauté de sa voix et l'ardeur de son tempérament, lui attirèrent d'illustres amants tels que le chanteur Garat, le violoniste Kreuzer et Napoléon lui-même.

Ayant vécu avec l'insouciance de la cigale, au temps de sa splendeur, elle n'exhala plus, lorsque l'âge et la misère furent venus, qu'une plainte de *Rossignol aveugle.* C'est le titre d'un poème des *Pleurs* qui lui est consacré.

Certes Caroline était parfois lassante. Elle arrivait, sans crier gare, s'installait pour quelques jours chez les Valmore et, qu'un amant l'ait trompée ou qu'elle souffrît d'un lumbago, remplissait l'appartement de ses clameurs. Mais Marceline pardonnait tout à « cette âme du soleil » qui avait subi comme elle des tourments d'amoureuse et de mère. En 1834, quand les émeutes ouvrières de Lyon privèrent Prosper de son gagne-pain durant quelque temps, c'est l'excellente Branchu qui accueillit les enfants dans son logis parisien.

Cependant, la seule de ses amies qui ait connu le douloureux secret de l'auteur des *Elégies* est Pauline, la Martiniquaise. De 1810 jusqu'à leur mort qui survint à quelques mois de distance, les deux femmes se sont adorées comme des collégiennes, s'adressant des feuilles ou des fleurs séchées et notant dans des cahiers leurs pensées communes. Les mélodies que composait Madame Duchambge lui avaient valu une certaine renommée au temps de sa jeunesse ; mais la fin de sa vie se déroula dans une solitude et une détresse matérielle navrantes.

Elle s'était éprise d'un homme brillant et inconstant, le compositeur Auber, dont elle demeura la confidente même après qu'il l'eût délaissée. Cette humilité dans l'acceptation de la souffrance, Desbordes-Valmore la comprenait mieux que personne.

Les deux amies étaient bien les *Deux peupliers,* du poème des *Pleurs,* « mariés dans la terre » et supportant ensemble les mêmes intempéries. C'est l'oiseau qui symbolise le plus souvent leur amitié, pleine de sollicitude et de secrets palpitants volant de l'une à l'autre :

Qui regardait sous mon aile blessée,
Le dard... celui qui me fait mal encor

Les pièces dédiées à Caroline et à Pauline représentent, dans l'atmosphère tourmentée de l'œuvre valmorienne, des moments de détente où se glisse tout au plus une ombre de mélancolie, mais d'une mélancolie qui n'a rien de désespéré :

Mes jeunes amitiés sont empreintes des charmes
Et des parfums mourants qui survivent aux fleurs...

Aux amitiés de la jeunesse vinrent s'ajouter des relations d'un caractère moins intime, mais non moins solide. Celles qui jaillirent de l'imprévu, du hasard d'une rencontre ont inspiré *Ecrivez-moi* et *A Sophie Gay :*

Hélas! en m'apprenant qu'il n'est plus d'amitié.
D'où vient que vous m'y faisiez croire ?

Ces poèmes ont le tour des badinages amoureux de Musset qui vont à l'essentiel avec légèreté.

Plus profond encore que le sentiment qui lia Marceline à Madame Gay ou à sa fille Delphine de Girardin, celui qui l'attacha à Mademoiselle Mars nous surprend.

Cette actrice d'une grande droiture était par ailleurs dotée d'une susceptibilité et d'une brutale franchise qui éloignaient les plus indulgents. Mais l'auteur des *Pleurs* aimait précisément ce « caractère à part les autres » et le disait. Etonnée et ravie, Mars acceptait la démonstrative tendresse de son amie et finit même par tolérer ses remontrances.

Comme âgée de 61 ans, elle paraissait encore sur scène en dépit des intrigues qui se tramaient contre elle, Marceline la persuada de faire ses adieux : « Sortez calme et couronnée de cette foule, écrit-elle, l'élite vous suivra... Pardonnez-moi. J'ai souffert pour vous donner cette marque de ma profonde affection ».

Preuve d'amitié que Mars méritait pour les délicates attentions dont elle entoura toujours la poétesse aussi bien que pour les conseils et les admonestations qu'elle prodigua à l'honnête Prosper : « J'ai rabroué mon bon Valmore, disait-elle peu avant sa mort, pour le monter car j'ai toujours peur de sa délicatesse outrée. Surtout ne l'y poussez pas, car vous êtes un peu comme lui et pour des fripons ou des ingrats ».

Madame Récamier, autre bonne fée des Valmore, intercédait pour eux et les invitait aux réceptions où brillaient Ampère, Ballanche et Chateaubriand. Celui-ci faisait des lectures que l'auteur des *Elégies* écoutait religieusement. Il lui confia même des pages d'épreuves à corriger. « Figure-toi, écrit-elle à Ondine, que c'est moi qui suis le correcteur de Monsieur de Ch. et que j'ai cinquante feuilles à surveiller. C'est inouï d'inconséquence ! » (1). La lettre datant d'octobre 1841, c'est vraisemblablement des *Mémoires d'Outre-Tombe* qu'il s'agit. Chateaubriand ne cessa pas

(1) Cf. Boyer d'Agen : *Les amitiés littéraires de Desbordes-Valmore.*

en effet de les retoucher jusqu'en 1848, année où Emile de Girardin commença leur publication.

L'auteur du *Génie du Christianisme* n'est du reste qu'un des nombreux écrivains qui furent attirés par la personnalité de Marceline. Celle-ci n'était-elle pas l'exemple unique d'une femme possédant autant de bonté et de modestie que de talent ? Vigny et Balzac, Dumas et Sainte-Beuve, tous recherchèrent l'amitié de cette fauvette besogneuse et la plupart d'entre eux gravirent à maintes reprises les marches des perchoirs où elle se livrait aux préoccupations cumulées du ménage et de la poésie.

Quelque chose de maternel se mêla toujours à l'affection de Desbordes-Valmore pour le poète Auguste Brizeux, « le moins déguisé des hommes », disait-elle. Partant pour l'Italie en 1831, celui-ci s'arrêta à Lyon pour rendre visite à son amie. Auguste Barbier qui l'accompagnait a conté cet épisode dans ses *Silhouettes Contemporaines* : une vieille demeure non loin du quai de la Saône, un logis haut perché, puis l'accueil d'une dame jeune encore, aux boucles blondes et aux yeux bleus qui les remercie d'être venus voir une « pauvre hirondelle sous sa tuile ».

La poétesse leur montre les vers que lui a adressés Lamartine et sa réponse qui émeut les deux amis jusqu'aux larmes. « Elle est évidemment la première de nos lyres féminines, dit en la quittant, Auguste Barbier. Et point la dernière de nos lyres masculines, ajouta Brizeux. »

Ce fut aussi le sentiment de Balzac qui lui écrivait : « Nous sommes aussi voisins que peuvent l'être, en France, la prose et la poésie, mais je me rapproche de vous par le sentiment avec lequel je vous admire et qui m'a fait rester une heure dix minutes devant votre portrait au salon ». Amitié déférente qui évolua vers des relations plus familières si l'on en juge par la lettre qu'Ondine reçut de sa mère, lors d'un séjour à Londres : « N'oublie pas que je demande à Pela l'avance de quelques tablettes de savon de Londres et une bottle of extract-flowers, écrit-elle, c'est Monsieur de Balzac qui me conjure de t'en prier. C'est un enfant véritable que ce gros-t'amour. Il tient plus à cela qu'à son *Curé de village,* sainte et grande chose ».

Dumas compta également parmi les admirateurs de Marceline. Il lui prêta même son appui en 1833, lorsque celle-ci tenta de faire entrer Prosper aux Français. Pitoyable à toute infortune, l'auteur des *Trois Mousquetaires* n'en oubliait pas moins de donner suite à ses bonnes intentions : « Il a l'air sûr, disait à cette époque Madame Valmore, et plein d'autant d'espoir que de zèle, mais toujours pour dans deux mois ». Pourtant elle subissait l'attrait de celui qu'elle peignait, « grand comme Achille et bon comme le pain ». « Votre cœur, lui écrivait-elle, est bien assez grand pour penser à beaucoup de choses à la fois, et vous m'avez bien trouvée quand il a fallu relever mon courage ».

Si léger qu'il fut, Dumas ne se limita point à de belles paroles quand il s'agit de l'œuvre de son amie, puisqu'en 1833, il composa pour les *Pleurs* la célèbre préface où il s'écriait : « O ma voix amie! Merci! car votre dernier chant est le plus doux de vos chants. »

Mais aucune de ces affections ne peut être comparée à celle qui unit Marceline à Sainte-Beuve. Dans la vie houleuse de Joseph Delorme, cette amitié apparaît comme une île préservée de la tempête (1).

---

(1) Cf. P. Grosclaude : *Sainte-Beuve et Marceline Desbordes-Valmore,* le *Sainte-Beuve* d'André Billy et celui de Maurice Allem.

Ce n'est qu'après 1830 qu'il s'intéressa à Madame Desbordes-Valmore. A partir de ce moment, il consacra à chacun de ses recueils poétiques des articles qui furent repris dans les *Lundis* et dans les *Portraits contemporains* (1). Le choix de poèmes de Madame Valmore qu'il composa en 1842, fut accueilli par des larmes de reconnaissance : « Ce matin, j'ai ouvert le livre et n'ai pu finir cette notice. Vous m'avez bouleversée de mon propre malheur. J'ai pleuré, comme en quittant cette charmante mère perdue. Je n'ai pas de force pour lire davantage ».

C'est grâce aux démarches de Sainte-Beuve auprès de l'éditeur Dumont que parurent *Bouquets et Prières* et c'est encore grâce à lui que les *Anges de la famille* obtinrent un prix de l'Académie, que l'auteur briguait moins par ambition que pour recueillir quelque argent. La précieuse biographie de la poétesse que le critique publia en 1870 montre qu'il lui garda, morte, l'admiration qu'il lui avait témoignée de son vivant. Sa sollicitude ne se borna d'ailleurs pas à répandre l'œuvre de son amie. Que celle-ci soit en difficulté et il intervient pour elle, avec une discrétion et un tact qui émeuvent : « Vous sentez bien, écrit-il à un personnage influent, qu'elle ne sait mot de tout ceci ; aussi veuillez y mettre du secret ».

Sa *Correspondance avec les Olivier* apporte encore maints témoignages de cette amicale vigilance. Dès lors, on comprend que Marceline ait écrit à une amie : « Dieu sait si je suis éternellement garrottée à M. Sainte-Beuve par la reconnaissance des services sérieux qu'il m'a rendus. Je ne

---

(1) Articles de la *Revue des deux Mondes* et du *Moniteur Universel.*

crois pas que l'on oblige mieux que lui, ni qu'on oublie plus noblement... J'ai vingt lettres de bénédictions de malheureux que je lui ai fait secourir dans leur liberté compromise, rendue par lui à force de courir et de prier, et puis donnant, donnant toujours ».

De tels propos jettent un jour curieux sur la personnalité de l'écrivain. Ils expliquent en outre la ferveur avec laquelle les Valmore participèrent aux événements de son existence.

Le jour où il fut reçu par Victor Hugo à l'Académie, en 1845, Inès lui fit parvenir une petite croix qu'il devait garder dans sa poche comme porte-bonheur. Le lendemain, la poétesse lui décrivit l'anxiété et la joie des siens pendant la cérémonie : « Hier, durant trois heures, dit-elle, nos cœurs ont vécu pour trois ans. Tout a été suivant le vœu de ceux qui aiment votre dignité autant que votre gloire ».

L'écrivain faisait vraiment partie de la maisonnée. N'y venait-il pas à toute heure épancher son âme solitaire auprès de celle qui le réconfortait et qui lui confiait bien des tourments qu'elle dissimulait à son entourage.

Cette amitié est unique dans l'histoire des lettres. Pendant plus de vingt ans, un homme et une femme, tous les deux de premier plan, que ne liaient ni sentiment amoureux, ni questions d'intérêt, surent préserver de tout nuage la confiance et l'estime qui les avaient rapprochés.

Le 22 février 1848, pour remercier l'auteur des *Lundis* d'un des multiples services qu'il lui avait rendus, Marceline écrivait : « Voici ce que je pourrais vous dire, véritable Saadi de nos climats : j'avais dessein de vous rapporter des roses ; mais j'ai été tellement enivrée de leur odeur délicieuse, qu'elles ont toutes échappé de mon sein ». Ces lignes

Portrait, par Francesco Goya.*

* Ce portrait de M. D.-V. par Goya appartenait à la collection Boyer d'Agen, puis à la collection Roth.

ONDINE VALMORE
(enfant)
(D'après une aquarelle de Berjon de Lyon)

ébauchent le sujet des *Roses de Saadi*, poème qui ne fut pas inspiré, comme on l'a cru, par l'amour (1).

Bouleversée par la passion ou par la tendresse maternelle, elle trouve des vers de génie, tels que lui en dicte rarement l'amitié. Celle-ci crée par contre une sensation de paix, d'harmonie intérieure qui rend Desbordes-Valmore beaucoup plus attentive à la netteté de la forme.

La rose symbolise souvent la perfection de ces fraternelles affections (*La Rose Flamande*). La trouvaille, dans le poème écrit pour Sainte-Beuve, c'est l'absence de roses. Leur odorant souvenir, plus durable que les fleurs elles-mêmes, définit à merveille le caractère impérissable du lien qui unissait la poétesse au critique.

A côté de ces amis illustres, combien d'autres dont nous ignorons jusqu'au nom furent accueillis par celle qui disait : « Ma maison est l'arche des torturés ». On n'arriverait pas à énumérer tous ceux qu'elle défendit, hébergea ou encouragea. Tantôt, c'est un jeune galérien qu'il s'agit de sauver, tantôt un peintre ou un musicien dont il faut favoriser les débuts, tantôt le fils de la concierge qui doit être soigné.

---

(1) C'est Robert Vivier qui m'a signalé le passage de la préface du *Gulistan* de Saadi dont ce poème est une interprétation :

« *Un certain sage avait enfoncé sa tête dans le collet de la contemplation... Alors qu'il revint de cette extase, un de ses camarades lui dit, par manière de plaisanterie : De ce jardin où tu étais, quel don de générosité nous as-tu apporté? Il répondit : J'avais dans l'esprit que, lorsque j'arriverais au rosier, j'emplirais un pan de ma robe, en cadeau à mes camarades. Lorsque je fus arrivé, l'odeur des roses m'enivra tellement, que le pan de ma robe m'échappa de la main.* »

L'image du poète enivré de parfum laissant échapper les roses de son vêtement subsiste. Le sentiment de camaraderie et de générosité, mieux précisé dans le texte persan, me confirme dans l'idée que le poème de Desbordes-Valmore est bien un poème de l'amitié.

Et la voilà qui se hâte à chercher de l'aide, qui écrit à ses amis : « Elle n'y va pas de main morte », disait le Ministre de la Justice, Martin du Nord, son « pays », bien que pour l'attendrir elle s'adressât à lui dans leur patois douaisien « Acouté m'on peo... ».

Tout l'amour dont son âme était pleine et dont on n'avait pas voulu se changea en pitié pour ceux que la vie accablait

D'où le rayonnement qui se dégage de l'*Ame errante* et de *Solitude* :

Dieu tirez un bienfait du fond de tant de larmes!

Mais peu à peu Desbordes-Valmore acquit la certitude que la compréhension des maux d'autrui ne suffit guère et qu'il importe d'en dénoncer les causes : les guerres et les troubles sociaux, idée qui apparaît pour la première fois dans les *Pleurs* : « Ah sur trop de cyprès la liberté se fonde!... » et qui prendra toute son ampleur dans le recueil suivant.

Maints poèmes de *Pauvres Fleurs,* paru en 1839, sont en effet de véhémentes protestations contre la cruauté des châtiments : prison et banissement, peine de mort et massacre des insurgés.

Marceline ne possédait pas seulement le sens de l'amitié et de la charité, mais cette chose beaucoup plus rare encore chez une femme, l'instinct de la solidarité humaine qui la fit tressaillir à chaque événement politique de son temps. Cet aspect de sa personnalité, le moins connu d'ailleurs, mérite, lui aussi, d'être mis en lumière.

Marceline Desbordes-Valmore

Moi qui gravis mon sort sans charger ma mémoire,
Des noms dorés, perdus dans le vent de la gloire,
Insoucieuse au bruit des trônes et des rois,
Qui dans mes jours flottants roulent vides et froids,
Je me laisse entraîner où l'on entend des chaînes;
Je juge avec mes pleurs, j'absous avec mes peines.

UN jour Marceline qui n'avait guère que huit ou neuf ans alors, passant auprès de la Tour Notre-Dame y aperçut un pauvre diable de soldat prisonnier. Que voulait ce malheureux ? la liberté ! Dès lors elle ne pensa plus qu'à la lui rendre. Mais où trouver cette liberté dont son frère venait précisément de lui offrir une petite effigie. On lui avait dit qu'elle résidait à Paris. La fillette invita donc Félix à prendre le chemin de la capitale pour l'aller quérir. Partis par un beau matin, les enfants étaient déjà loin de la ville lorsqu'un de leurs oncles les rencontra et leur demanda où ils allaient. Les bambins le lui expliquèrent et l'oncle ému ne savait que faire quand vint à passer le colonel d'un régiment de hussards en garnison à Douai qui était de ses amis. Il lui conta l'histoire et lui parla de l'inquiétude que devaient ressentir les parents Desbordes. Bouleversé, le colonel promit à la gamine d'élargir le prisonnier et la ramena sur son cheval. L'image du reclus de Notre-Dame ne devait pourtant plus s'effacer de la mémoire de Marceline.

Hantée par ce souvenir, elle ne supportera jamais que des êtres soient enchaînés. Aussi est-ce à ceux de ses amis qui connurent la détention ou l'exil qu'elle manifestera le plus volontiers sa sollicitude.

Béranger et Raspail reçurent d'elle des poèmes et des lettres qui témoignent d'une affectueuse intimité.

C'est à J.B. Peyronnet, l'ancien ministre de Charles X, emprisonné à Ham, après la révolution de 1830, qu'elle envoya le beau poème dont je cite quelques vers en exergue de ce chapitre :

Je me laisse entraîner où l'on entend des chaînes;
Je juge avec mes pleurs. j'absous avec mes peines.

Parlant de Peyronnet à son ami Gergérès, elle écrivait : « Dieu n'a rien fait de tout ce que les hommes fabriquent avec du fer. Je mourrai triste, car je laisserai au monde les prisons et la peine de mort. Ah ! si j'avais les clefs de tout cela, Gergérès, quel pèlerinage ! ».

Ces lignes peuvent servir d'introduction à tous les poèmes de *Pauvres Fleurs* qui disent la grande misère des proscrits : *Cantique des mères, Amnistie* et *Cantique des Bannis,* une prière à Notre-Dame de Fourvières qui est du Péguy avant la lettre :

Vierge aux palais inconnue,
Dont le trône est sur la nue,
Sentiers mobiles et blancs,
Où montent nos vœux tremblants,
Quand les pauvres de la terre,
Cherchent l'eau qui désaltère...

Qu'il s'agisse du républicain Béranger, du monarchiste Peyronnet, du démocrate Raspail ou du Prince Bonaparte incarcéré à Ham, l'auteur de *Pauvres Fleurs* prodigua à ses amis prisonniers, vers et consolations sans se préoccuper de leurs opinions. Aussi a-t-on eu tort de parler « des amis politiques » de Madame Valmore. Cela laisse entendre qu'elle était d'un parti alors qu'elle ne faisait que déplorer la cruauté des châtiments.

Femme, elle a simplement témoigné d'une qualité sans laquelle une femme perd sa principale raison d'être : l'indulgence, sentiment qu'elle a étendu à tous les souffrants.

Oh! qui peut se venger? Oh! par votre abandon,
Seigneur! par votre croix dont j'ai suivi la trace,
Par ceux qui m'ont laissé la voix pour crier grâce :
Pardon pour eux! pour moi! pour tous! pardon! pardon!

Sans avoir jamais été une catholique de stricte observance, elle révérait un Dieu de miséricorde, sévère aux pharisiens, pitoyable aux humbles, qu'elle invoquait surtout dans ses crises de désespoir. Et rien ne l'anéantit davantage que la vue des luttes intérieures qui déchiraient son pays.

Elle avait vu se succéder l'Empire et la Restauration, Louis XVIII puis Charles X, Louis Philippe, puis le second Empire. Chacun de ces régimes s'était instauré à force de peines et de bannissements dont l'inhumanité la navrait.

Elle fut bouleversée par les Journées de 1830 et par celles de 1848, autant qu'elle l'avait été par le désastre de Waterloo.

Mais ce sont les dramatiques insurrections des canuts lyonnais qu'elle a vécues jour par jour qui l'ont le plus ébranlée.

Marceline a séjourné par trois fois à Lyon : de 1821 à 1823, de 1827 à 1832 et de 1834 à 1837. Elle abhorrait cette ville qu'elle nous décrit sale, bruyante, fangeuse et noire.

Elle opposait sans cesse aux « tableaux de Teniers » de son enfance, maisons étincelantes de propreté et « figures sanguines, larges et riantes », la misère des ouvriers lyonnais, vivant dans des habitations sordides et mendiant après leur journée de travail.

Ceux-ci se groupèrent, en 1831, sous le mot d'ordre fameux « Du travail ou la mort ». Ils levèrent le drapeau noir d'une révolte qui devait être rapidement matée par la garde nationale et par l'armée. L'événement a eu une grande résonance dans l'esprit de Stendhal, de Vigny, de Mérimée et de Lamartine qui composa à cette occasion le poème aux strophes incandescentes intitulé : *Les Révolutions* :

Enfants de six mille ans qu'un peu de bruit étonne,
Ne vous troublez donc pas d'un mot nouveau qui tonne,
D'un empire éboulé, d'un siècle qui s'en va!
Que vous font les débris qui jonchent la carrière ?
Regardez en avant et non pas en arrière :
Le courant roule à Jéhova!...

A l'opposé de cette voix de l'optimisme révolutionnaire, celle de Marceline n'exprime que la désolation en présence d'une sanglante répression.

« Toute ma famille est sauve, écrivait-elle le 29 novembre 1831. Mais, mon Dieu, on commande en ce moment tant d'habits de deuil que l'on tombe à genoux dans l'étonnement de n'en pas porter soi-même !... C'est l'émeute de la faim... Les femmes criaient, en se jetant au-devant des coups : « Tuez-nous ! Nous n'aurons plus faim ! » Deux ou trois cris de Vive la République ont été entendus, mais les ouvriers et le peuple ont répondu : « Non ! nous nous battons pour du pain et de l'ouvrage. »

Cet épisode n'était que le prélude d'une seconde lutte

plus furieuse encore que l'auteur des *Pleurs* décrivit, en 1834, à Mademoiselle Mars. « Tout a été horrible ici. Après six jours et demi de tocsin, d'incendie, de massacre inutile (car les femmes, les vieillards, les enfants étaient égorgés) et six nuits plus épouvantables pendant lesquelles nous nous attendions à sauter dans nos maisons après avoir vu tout ce qu'on peut voir sans mourir, nous nous sommes retrouvés vivants, et comme tristes d'avoir survécu à ce grand fléau, où c'était si tôt fait d'en finir, où le bruit des cloches, des balles et des canons causait un étourdissement de la vie. J'ai senti trois fois l'irrésistible désir d'un coup de feu dans le cœur pour m'en aller hors de cette boucherie... Elle saignera longtemps, ma bonne Hippolyte. » En effet, Marceline comme hallucinée par ce spectacle et par la misère qui y succéda en parlera encore en 1837 à Mélanie Waldor, l'amie d'Alexandre Dumas : « Quelle année ! Trente mille ouvriers sans pain, errant dans le givre et la boue, le soir, et chantant la faim ! Allez ! le peuple de Lyon que l'on peint orageux et mauvais, est un peuple sublime, un peuple croyant. C'est vraiment ici, et seulement ici, qu'une pauvre madone, surmontant un rocher, arrête trente mille lions qui ont faim, froid et haine dans le cœur... et ils chantent comme des enfants soumis. C'est là le miracle... Moi je deviendrais folle ou sainte dans cette ville... On n'ose plus manger ni avoir chaud contre de telles infortunes... »

Ces lettres nous révèlent son état d'esprit au moment où elle écrivit ses poèmes sur les émeutes de Lyon. L'un d'eux, *Dans la Rue*, n'a été repris dans aucun de ses recueils. Aucune publication de l'époque ne l'a accepté : « Pas un journal à Paris n'a osé l'imprimer, dit-elle, dans la peur de déplaire à ceux qui nous font en ce moment tant de bien ! Que Dieu les juge et nous sauve ! »

Desbordes-Valmore s'y exprime avec une violence et un réalisme jamais atteints. Elle n'hésite pas à souligner le détail sordide, le trait brutal et même à user de l'ironie dont elle est si peu coutumière :

Nous n'avons plus d'argent pour enterrer nos morts.
Le prêtre est là marquant le prix des funérailles.

C'est que la colère l'emporte lorsqu'on viole les droits de la personne humaine, lorsqu'on tue jusqu'au « témoin révolté qui parlerait demain ».

Le même sujet est rendu avec plus d'ampleur encore dans : *A Monsieur A.L.* (1).

En éliminant des lieux communs comme « c'était hideux à voir » ou « l'ilote outrepassant son horrible devoir », Marceline aurait atteint à la perfection. Le sursaut de pitié et d'indignation qui la rendit inattentive à ces fautes de goût a d'autre part donné naissance au rythme du poème. Rythme saisissant, ininterrompu, qui monte et se propage comme les grondements de la révolution. Chaque phrase est ponctuée par le bruit sec des « J'étais là » ou martelée par les exclamations répétées :

Savez-vous que c'est grand tout un peuple qui crie!
Savez-vous que c'est triste une ville meurtrie...

C'est dans *A Monsieur A.L.* que l'auteur de *Pauvres Fleurs* a trouvé quelques-unes de ses expressions les plus originales : « la mort disciplinée et savante au carnage » ou « tuant jusqu'à l'enfant qui regardait sans voir » et des images proches de celles d'un Verhaeren : « Les clochers

---

(1) Initiales du critique Antoine de Latour (traducteur des *Prisons* de Silvio Pellico) qui relut et corrigea le manuscrit de *Pauvres Fleurs*.

haletants », « Le rouge incendie aux longs bras déployés ».

Les pages que lui a inspirées cette ville aux artères coupées semblent, au dire de Sainte-Beuve, arrachées aux *Tragiques* d'Agrippa d'Aubigné. Empreintes d'une vigueur toute virile, elles se terminent cependant par l'expression d'un sentiment bien féminin.

Dans l'accalmie qui suivit le massacre, au milieu des ruines accumulées, c'est l'âme de la mère qui chercha, avec passion, une promesse de vie. Celle-ci se fit entendre dans la voix d'un rossignol qui chanta sept jours au-dessus du grand cimetière. Mais le mur où l'oiseau perchait fut troué par une bombe « Et l'hymne épouvantée alla finir aux cieux ».

C'est là aussi qu'aboutirent les chants de la poétesse lorsque lasse d'aimer, de comprendre et de se rebeller, elle tourna « les ailes de son cœur » vers Dieu.

Cette douleur collective dont son âme déjà meurtrie avait assumé le poids l'avait plongée dans un accablement jamais atteint que reflète un autre poème de *Pauvres Fleurs, Affliction :*

Mais seule, et quand le jour se voile sous la nue,
Qu'il laisse tomber l'ombre avant la nuit venue,
Quand l'oiseau sans musique erre aux champs sans couleurs,
Je ne me sens pas vivre et je ressemble aux fleurs,
Aux pauvres fleurs baissant leurs têtes murmurantes,
Et qu'on prendrait au loin pour des âmes pleurantes.

Poème où l'âme presqu'éteinte aspire à l'au-delà, pour raviver sa flamme à la lumière du visage divin.

Dans ses premiers recueils, Marceline ne semble guère avoir été inspirée par la foi. C'est surtout dans les moments de désespoir amoureux qu'elle appelle Dieu.

Un critique de l'époque, Alexandre Vinet, le lui avait d'ailleurs violemment reproché : « Pour Madame Valmore, disait-il, le ciel n'est qu'un asile de deux cœurs qui n'existent que l'un pour l'autre; l'éternité que l'éternité du sentiment qui les unit. » Les vers impies, selon lui, de *Malheur à moi* :

Sans lui, mon Dieu! comment vivrai-je en toi?
Je n'ai qu'une âme, et c'est par lui qu'elle aime.

l'avaient profondément choqué.

Douze ans auparavant, dans l'article de 1821 que j'ai cité, Victor Hugo regrettait déjà que la poétesse ne puisât point ses consolations au ciel, « elle ne songe en quelque sorte à Dieu que dans trois ou quatre élégies touchantes sur la mort de son enfant. Sa douleur est toute terrestre, à moins qu'elle ne devienne maternelle... Ses vers passionnés vont au cœur : qu'elle leur imprime un caractère religieux, ils iront à l'âme ».

A partir de *Pauvres Fleurs* (1839), ce vœu de Hugo est exaucé :

Seigneur! parlez-moi, je vous prie!
Je suis seule sans votre voix...

Mais le thème de la mort et de Dieu ne s'épanouira que dans *Bouquets et Prières* (1843) et dans *Poésies Inédites* (1860) qui reflètent les vingt dernières années de la vie de Marceline Valmore, les plus douloureuses mais aussi les plus riches au point de vue poétique.

O vie! ô fleur d'orage! ô menace! ô mystère!
O songe aveugle et beau!
Réponds : ne sais-tu rien en passant sur la terre
Que ta route au tombeau?

APRÈS 1839, date de la publication de *Pauvres Fleurs*, la vie de Marceline ne fut plus que misère, deuils et désillusions. Valmore n'arrivait plus à jouer que les pères nobles. Les engagements se faisaient rares. Le pain manqua. Aussi la poétesse dut-elle fournir aux éditeurs nombre de romans et de contes pour enfants, la seule littérature qui payât. « Ah ! mon cher bien, comme il dégoûte d'écrire ! confie-t-elle à Prosper. Si ce n'était pour un peu d'argent dans le ménage, comme je mettrais de côté toutes mes pauvres pages échevelées et inutiles ! » Sans doute, songe-t-elle à *Violette* (1839), un récit historique dont l'action se passe sous François Ier. Ce livre ainsi que les nouvelles qui composent *Huit Femmes* (1845) sont illisibles, comme la plupart de ses romans d'ailleurs. Les jeunes filles s'y évanouissent ou y meurent pour un rien. Leur pudeur, leur manque d'initiative nous paraissent incompréhensibles. Elles pourraient figurer, à côté de certaines héroïnes de George Sand, dans la galerie des belles éthérées du romantisme dont le sort ne nous touche plus.

Toute cette prose ne sauva guère la famille de la pauvreté lorsque Prosper fut sans travail.

De 1847 à 1852, ce furent cinq années d'angoissantes démarches pour caser le comédien vieilli. « Humilié du repos dédaigneux où il est condamné, écrit Marceline à Pauline Duchambge, en 1850, lui, dans sa force et dévoré du besoin de labeur, c'est au-dessus de toutes paroles, je t'assure. Quand il n'a plus le courage de sortir ou de lire, je reste à coudre près de lui, car je maintiens tout ce que je peux d'un sort si délabré qui ne touche personne... ».

En 1852 enfin, Valmore trouve asile : un poste de rédacteur au catalogue de la Bibliothèque Nationale. Le traitement était minime et les difficultés subsistèrent.

On essaya de dénicher des logis de moins en moins coûteux. Ce fut tout d'abord rue Feydeau (1852), puis rue Lafitte, près de Notre-Dame de Lorette (1853) et enfin rue de Rivoli (1854). La poétesse emménageait péniblement, avec l'aide d'Hyppolyte, dans ces demeures aux murs délabrés, aux carreaux brisés. Elle continuait à se battre contre les difficultés de l'existence, ainsi qu'elle l'avait toujours fait : « Mes actions sont tellement heurtées, écrit-elle à Pauline, que je suis toujours comme ceux qu'on appelle pour monter dans la diligence, et qui la regardent s'enfuir sans pouvoir arriver à temps. » Quand elle écrit ces mots, en 1856, elle a soixante-dix ans. Et depuis 1846, jusqu'à cette date, chaque année ou presque avait été marquée d'une croix : Inès en 1846, sa sœur Eugénie et Caroline Branchu en 1850, son frère Félix et Latouche en 1851, l'enfant d'Ondine en 1852 et Ondine elle-même en 1853.

Au lendemain de cette mort qui la frappa plus que toute autre, elle fut contrainte de supplier son éditeur pour qu'il lui accordât une avance d'argent : « Sous le coup terrible que je reçois, je ne parlerai qu'à vous de ma misère. Je suis forcée de m'en apercevoir au fond de mon désespoir. Si vous pouvez encore l'amoindrir, faites-le, bon Charpentier... ». « Ces préoccupations matérielles en un pareil moment, note Jules Marsan (1), n'y a-t-il pas là quelque chose de poignant et cette lettre n'est-elle pas éloquente en sa simplicité nue ? »

Dans sa vieillesse, la malheureuse n'eut même pas la consolation de voir paraître les seules œuvres qui avaient quelque importance à ses yeux. *Pauvres Fleurs* fut son dernier succès, moins grand d'ailleurs que celui qu'avait obtenu *Les Pleurs*. *Bouquets et Prières* ne vit le jour en 1843 qu'à la suite des interventions de Sainte-Beuve. Ses vers ne s'accordaient-ils plus avec le goût de l'époque ? Vivait-elle trop éloignée des salons littéraires où elle aurait pu mettre ses écrits en valeur ? Fut-elle éclipsée, à partir de 1830, par les grands romantiques à qui elle avait donné le ton ? On ne sait. Toujours est-il que les éditeurs n'acceptaient plus ses poèmes.

En 1856, elle fut atteinte par une maladie que l'on n'arriva pas à diagnostiquer immédiatement mais qui était le cancer. Usée par la pauvreté, les chagrins et la maladie, brisée par la disparition de tant d'êtres chers, ignorée du public, Marceline désormais n'aspira plus qu'à la mort.

---

(1) Mercure de France, 1921.

Je vais au désert plein d'eaux vives
Laver les ailes de mon cœur,
Car je sais qu'il est d'autres rives
Pour ceux qui vous cherchent, Seigneur!

Ce n'est qu'à partir des *Pleurs* que l'idée de la mort commence à hanter Desbordes-Valmore. Elle envie aux fleurs leur destin éphémère, « Mourir jeune au soleil, O que c'est bien mourir », et souhaite dans *Solitude* « une tombe à l'abri des ingrats ». Aspiration qui la conduit, dès le recueil suivant *Pauvres Fleurs* à consacrer des poèmes entiers à Dieu ; timides plaidoyers en faveur de son âme de *Ave Maria* et mélodieuses interrogations de *Au Christ* :

Seigneur! suis-je un peu de vous-même,
Tombé de votre diadème?

Mais ces naïfs cantiques ne font qu'ouvrir la voie à une crise spirituelle que révèle *Bouquets et Prières* et *Poésies Inédites*. Dans le premier de ces volumes, elle fait déjà entendre les pathétiques accents du remords :

J'ai rencontré sur la terre où je passe
Plus d'un abîme où je tombai, Seigneur...

Aura-t-il pitié de celle qui a perdu la pureté, de celle qui a tant tardé à se donner à Lui ?

Maintes fois, elle s'est dérobée à l'appel du Maître, comme l'enfant qui craint la punition, mais non sans percevoir, par moments — « dans les moments profonds que nous ouvre le sort » — la lumière du visage divin :

Je fuyais. Mais, Seigneur! votre incessante flamme,
Perçait de mes détours les fragiles remparts...

Et la voici pleine d'humilité, aux pieds du Juge (l'*Eglise d'Arona* et *Dieu pleure avec les Innocents*), exprimant son repentir en des poèmes dont l'état d'âme rappelle à s'y méprendre celui de Verlaine dans *Sagesse*. Ce n'est toutefois qu'après la mort d'Inès, d'Ondine et de Latouche que l'au-delà occupera toute sa pensée. Aux élans de la tendresse maternelle et de l'amour succèderont les pressants appels de la foi dont foisonnent les *Poésies Inédites*.

L'âme comme désincarnée après tant de souffrances, se détache et s'évade de plus en plus « vers le rêve à la terre caché ». Enfermée dans le silence de son *Nid solitaire*, Desbordes-Valmore n'entend plus que les rumeurs d'une vie qui n'est déjà plus la sienne, le faible écho des espoirs et des désillusions humaines :

Et de mon nid étroit d'où nul sanglot ne sort,.
J'entends courir le siècle à côté de mon sort...

Assoiffée d'oubli elle implore celle qui « démêle les fuseaux confondus » :

Fidèle mort! Si simple, si savante!
Si favorable au souffrant qui s'endort!
Me cherchez-vous? Je suis votre servante :
Dans vos bras nus l'âme est plus libre encor!

Mais semblable invocation n'exclut pas, à d'autres endroits des *Poésies Inédites* un farouche refus. En vérité, Desbordes-Valmore a été, par moments, terrifiée à l'idée de sa fin. « Ah ! j'ai peur d'avoir peur, d'avoir froid, je me cache ! » s'écrie-t-elle dans les *Sanglots*. Non qu'elle doute de la vie future, mais elle appréhende le moment où il lui faudra comparaître « comme une esclave en faute au bout de sa journée » et endurer le purgatoire. C'est moins l'absence d'un état de grâce ou d'une jouissance spirituelle que craint cet être candide, que la privation des biens de ce monde : « Plus de soleil. Pourquoi ? » demande-t-elle avec naïveté, plus de feu... plus d'oiseaux... plus de fruits et de fleurs... plus d'amour, de famille et de souvenirs... Et surtout cette perspective affolante, l'immobilité :

Ciel ! où m'en irai-je
Sans pieds pour courir ?
Ciel ! où frapperai-je
Sans clé pour ouvrir ?

Son âme puérile s'insurge contre l'inconcevable. Non, l'au-delà n'implique pas semblable expiation ! Il est, ainsi qu'elle l'a toujours cru au fond, à l'image du monde de l'enfance, de ce monde de l'enfance dont les souvenirs l'obsèdent plus que jamais dans ses derniers poèmes : *Le Rêve intermittent, Un Ruisseau de la Scarpe,* et *Loin du Monde.* L'au-delà, c'est Albertine retrouvée, le lieu où l'on rejoindra les disparus :

Quoi, c'est lui ! C'est toi ! C'est elle !
Retentira de partout,
Et l'on proclamera belle
La mort vivante et debout...

Mme DESBORDES-VALMORE; par Baugé (1833).

Mme Desbordes-Valmore, par Nadar

Certitude que confirme une confiance croissante dans la mansuétude du Père :

> *Oh la mort! ce sera le vrai réveil du songe!*
> *Liberté! ce sera ton règne sans mensonge!*
> *Le grand dévoilement des âmes et du jour;*
> *Ce sera Dieu lui-même... Oh, ce sera l'amour!*

Oui, Dieu est amour, non pas cet amour imparfait sans cesse détourné de son sens « par des jeux vides et décevants », mais amour pur, inconditionnel, celui dont seront imprégnés *Que mon nom ne soit rien* et *Les Prisons et les Prières*, poème de la compassion qui contient un des plus beaux vers que la foi ait inspiré :

> *Lui dont les bras cloués ont brisé tant de fers!*

Comment ne pas rapprocher ces paroles de celles que Marceline écrivit quelques années avant sa mort : « Il faut être Christ ou l'adorer par delà ce vieux monde, pour sentir tous les pardons couler de certaines blessures ». Pardon qu'elle espère obtenir non seulement parce qu'elle l'a tant de fois accordé, mais parce qu'elle possède les passe-droits des souffrants : sa pauvreté, sa pâleur, « le sel de ses pleurs ». Cette conviction lui donna, à la fin de son existence, « le visage attristé » mais rayonnant de ferveur qui se dessine dans *La Couronne effeuillée*, psaume ardent proche de ceux de Marie Noël où, répandant « son âme agenouillée » aux pieds de Dieu, elle chante sa réconciliation avec Lui :

> *O clémence! ô douceur! ô saint refuge! ô Père!*
> *Votre enfant qui pleurait vous l'avez entendu!*
> *Je vous obtiens déjà puisque je vous espère*
> *Et que vous possédez tout ce que j'ai perdu.*

Personne, pas même Prosper et Hippolyte qui la veillaient fidèlement, ne comprit la signification du silence où elle tomba au cours des derniers mois de sa vie. L'explication nous en est donnée dans *Renoncement* :

Tous mes étonnements sont finis sur la terre,
Tous mes adieux sont faits, l'âme est prête à jaillir,
Pour atteindre à ses fruits protégés de mystère
Que la pudique mort a seule osé cueillir.

Ce poème révèle la paisible attente d'une mort qui survint le 23 Juillet 1859, date à laquelle Marceline Desbordes-Valmore « cessa d'aimer ».

Suivant le vœu qu'elle avait adressé à ses enfants dans ses vers à Lamartine :

Sans char, sans prêtre, au cimetière
Leur piété me conduira...

elle fut enterrée civilement (1). Désir singulier chez une croyante. Mais de même qu'elle avait toujours recherché les églises désertes plutôt que l'apparat des cérémonies, elle préféra les prières de ses proches à celles des prêtres, de ces prêtres, qui en 1834, au plus fort de la misère des Lyonnais, réclamaient « le prix des funérailles ». Le Christ qu'elle adorait était plein d'indulgence pour les indigents et pour les affligés, quelle que fût leur absence de rigorisme.

Reflet de la démarche austère qui l'absorba dans ses dernières années le langage des *Poésies Inédites* se caractérise par son dépouillement. Rien ne dépare ce recueil dont les pièces sont d'une égale perfection : les poèmes de

(1) Au cimetière Montmartre (26e division, 4e ligne), non loin de la tombe où repose Henri Heine

l'amour : *Jour d'Orient, Les Cloches et les larmes, Les Eclairs* et *La Jeune Fille et le Ramier,* aussi bien que les poèmes de l'enfance : *Rêve intermittent d'une nuit triste,* et *La Fileuse,* les poèmes de la maternité : *Ondine à l'Ecole* et *Inès* et ceux qu'inspire la foi : *Refuge, Renoncement* et *Les Sanglots.*

Châtiée, la langue a gagné en équilibre, en densité et en relief. Mais la dureté et la limpidité cristalline de certains vers n'excluent pas le jeu des nuances sentimentales, reflets d'une âme restée, en dépit des années, aussi jeune et aussi féminine que celle qui se mirait autrefois dans la Scarpe. N'en citons pour exemple que ces fragments du *Puits de Notre-Dame à Douai :*

Ton visage étoilé dans les cercles humides
Parsemant leurs clartés de sourires limpides...

ou d'*Une Nuit de mon âme* dont la mélancolie est déjà bien proche de celle d'Apollinaire :

A travers le dernier voile
Tendu sur l'autre avenir
Nous voyons la double étoile
De l'aube et du souvenir.

Le mûrissement de l'âge et l'expérience du métier poétique n'expliquent pas seuls cette évolution du style.

Celle-ci provient aussi du fait que Marceline vieillissante reçut moins de commandes de ses éditeurs. Son mari occupait un emploi stable. Un seul enfant lui était resté : Hippolyte dont la vie se déroulait sans heurts. Elle eut enfin le temps de se parfaire. D'où l'écart qui sépare, au point de vue de la forme, ses derniers poèmes de tous ceux qu'elle avait écrits auparavant. Barbey d'Aurevilly n'a pas manqué de comparer à « la négligée » des premiers recueils, « la femme qui, vingt ans plus tard, s'est essayé à se faire un rythme et qui, en son coin solitaire, a participé, dans la mesure de ses forces de femme, à ce grand mouvement rénovateur du style poétique qui s'est produit avec tant de continuité et de fécondité parmi nous ».

Impression que ressentit Verlaine, lorsqu'après la lecture de *Poésies Inédites,* il s'écria : « Ici la plume nous tombe des mains et des pleurs délicieux mouillent nos pattes de mouche. Nous nous sentons impuissant à davantage disséquer un ange pareil ! »

Or ce dernier volume qui devait exalter les plus intransigeants, ne parut par les soins d'un lettré suisse, Gustave Révilliod, qu'un an après la mort de son auteur. Aucun éditeur n'en avait voulu.

Néanmoins, par sa pureté et par sa plénitude, cette œuvre ne cessera jamais d'attirer ceux pour qui la poésie est surtout amour et prière, musique et vérité.

Que des regards humains s'attachent encore à elle après sa mort, c'est là un des derniers espoirs qu'ait exprimé Desbordes-Valmore :

Si dans ce ciel éteint quelque étoile pâlie
Envoyait sa lueur à ma mélancolie!
Sous ses arceaux tendus d'ombre et de désespoir,
Si des yeux inquiets s'allumaient pour me voir!

MARCELINE DESBORDES-VALMORE

CHOIX DE POÈMES

ENFANCE

TRISTESSE

N'irai-je plus courir dans l'enclos de ma mère ?
N'irai-je plus m'asseoir sur les tombes en fleurs ?
D'où vient que des beaux ans la mémoire est amère ?
D'où vient qu'on aime tant une joie éphémère ?
D'où vient que d'en parler ma voix se fond en pleurs ?

C'est que, pour retourner à ces fraîches prémices,
A ces fruits veloutés qui pendent au berceau,
Prête à se replonger aux limpides calices
De la source fuyante et des vierges délices,
L'âme hésite à troubler la fange du ruisseau.

Quel effroi de ramper au fond de sa mémoire,
D'ensanglanter son cœur aux dards qui l'ont blessé,
De rapprendre un affront que l'on crut effacé,
Que le temps... que le ciel a dit de ne plus croire,
Et qui siffle aux lieux même où la flèche a passé !

Qui n'a senti son front rougir, brûler encore,
Sous le flambeau moqueur d'un amer souvenir ?
Qui n'a pas un écho cruellement sonore,
Jetant par intervalle un nom que l'âme abhorre,
Et la fait s'envoler au fond de l'avenir ?

Vous aussi, ma natale, on vous a bien changée !
Oui ! quand mon cœur remonte à vos gothiques tours,
Qu'il traverse, rêveur, notre absence affligée,
Il ne reconnaît plus la grâce négligée
Qui donne tant de charme au maternel séjour !

Il voit rire un jardin sur l'étroit cimetière,
Où la lune souvent me prenait à genoux ;
L'ironie embaumée a remplacé la pierre
Où j'allais, d'une tombe indigente héritière,
Relire ma croyance au dernier rendez-vous !

Tristesse ! après longtemps revenir isolée,
Rapporter de sa vie un compte douloureux,
La renouer malade à quelque mausolée,
Chercher un cœur à soi sous la croix violée,
Et ne plus oser dire : « Il est là ! » c'est affreux !

Mais cet enfant qui joue et qui dort sur la vie,
Qui s'habille de fleurs, qui n'en sent pas l'effroi,
Ce pauvre enfant heureux que personne n'envie,
Qui, né pour le malheur, l'ignore et s'y confie,
Je le regrette encor, cet enfant, c'était moi.

Au livre de mon sort si je cherche un sourire,
Dans sa blanche préface, oh ! je l'obtiens toujours
A des mots commencés que je ne peux écrire,
Eclatants d'innocence et charmants à relire,
Parmi les feuillets noirs où s'inscrivent mes jours !

Un bouquet de cerise, une pomme encor verte,
C'étaient là des festins savourés jusqu'au cœur !
A tant de volupté l'âme neuve est ouverte,
Quand l'âpre affliction, de miel encore couverte,
N'a pas trempé nos sens d'une amère saveur !

Parmi les biens perdus dont je soupire encore,
Quel nom portait la fleur... la fleur d'un bleu si beau,
Que je vis poindre au jour, puis frémir, puis éclore,
Puis que je ne vis plus à la suivante aurore ?
Ne devrait-elle pas renaître à mon tombeau !

Douce église ! sans pompe, et sans culte et sans prêtre,
Où je faisais dans l'air jouer ma faible voix,
Où la ronce montait fière à chaque fenêtre,
Près du Christ mutilé qui m'écoutait peut-être,
N'irai-je plus rêver du ciel comme autrefois ?

Oh ! n'a-t-on pas détruit cette vigne oubliée,
Balançant au vieux mur son fragile réseau ?
Comme l'aile d'un ange, aimante et dépliée,
L'humble pampre embrassait l'église humiliée
De sa pâle verdure où tremblait un oiseau !

L'oiseau chantait, piquait le fruit mûr, et ses ailes
Frappaient l'ogive sombre avec un bruit joyeux ;
Et le soleil couchant dardait ses étincelles
Aux vitraux rallumés de rougeâtres parcelles
Qui me restaient longtemps ardentes dans les yeux.

Notre-Dame ! aujourd'hui belle et retentissante,
Triste alors, quel secret m'avez-vous dit tout bas ?
Et quand mon timbre pur remplaçait l'orgue absente,
Pour répondre à l'écho de la nef gémissante,
Mon frêle et doux Ave, ne l'écoutiez-vous pas ?

Et ne jamais revoir ce mur où la lumière
Dessinait Dieu visible à ma jeune raison !
Ne plus mettre à ses pieds mon pain et ma prière !
Ne plus suivre mon ombre au bord de la rivière,
Jusqu'au chaume enlierré que j'appelais maison !

Ni le puits solitaire, urne sourde et profonde,
Crédule, où j'allais voir descendre le soleil,
Qui faisait aux enfants un miroir de son onde.
Elle est tarie... Hélas ! tout se tarit au monde ;
Hélas ! la vie et l'onde ont un destin pareil !

Ne plus passer devant l'école bourdonnante,
Cage en fleurs où couvaient, où fermentaient nos jours,
Où j'entendis, captive, une voix résonnante
Et chère ! à ma prison m'enlever frissonnante :
Voix de mon père, ô voix ! m'appelez-vous toujours ?

Où libre je pâlis de tendresse éperdue,
Où je crus voir le ciel descendre, et l'humble lieu
S'ouvrir ! Mon père au loin m'avait donc entendue ?
Fière, en tenant sa main, je traversai la rue ;
Il la remplissait toute ; il ressemblait à Dieu !

Albertine ! et là-bas flottait ta jeune tête,
Sous le calvaire en fleurs ; et c'était loin du soir !
Et ma voix bondissante avait dit : « Est-ce fête ?
O joie ! est-ce demain que Dieu passe et s'arrête ? »
Et tu m'avais crié : « Tu vas voir ! tu vas voir ! »

Oui ! c'était une fête, une heure parfumée ;
On moissonnait nos fleurs, on les jetait dans l'air ;
Albertine riait sous la pluie embaumée ;
Elle vivait encor ; j'étais encore aimée !
C'est un parfum de rose... il n'atteint pas l'hiver.

Du moins, n'irai-je plus dans l'enclos de ma mère ?
N'irai-je plus m'asseoir sur les tombes en fleurs ?
D'où vient que des beaux ans la mémoire est amère ?
D'où vient qu'on aime tant une joie éphémère ?
D'où vient que d'en parler ma voix se fond en pleurs ?

L'IMPOSSIBLE

Qui me rendra ce jour où la vie a des ailes
Et vole, vole ainsi que l'alouette aux cieux,
Lorsque tant de clarté passe devant ses yeux,
Qu'elle tombe éblouie au fond des fleurs, de celles
Qui parfument son nid, son âme, son sommeil,
Et lustrent son plumage ardé par le soleil !

Ciel ! un de ces fils d'or pour ourdir ma journée,
Un débris de ce prisme aux brillantes couleurs !
Au fond de ces beaux jours et de ces belles fleurs,
Un rêve ! où je sois libre, enfant, à peine née,

Quand l'amour de ma mère était mon avenir,
Quand on ne mourait pas encor dans ma famille,
Quand tout vivait pour moi, vaine petite fille !
Quand vivre était le ciel, ou s'en ressouvenir ;

Quand j'aimais sans savoir ce que j'aimais, quand l'âme
Me palpitait heureuse, et de quoi ? Je ne sais ;
Quand toute la nature était parfum et flamme,
Quand mes deux bras s'ouvraient devant ces jours... passés.

LES PLEURS (1833)

LA MAISON DE MA MÈRE

(*Extrait*)

Maison de la naissance, ô nid, doux coin du monde !
O premier univers où nos pas ont tourné !
Chambre ou ciel, dont le cœur garde la mappemonde,
Au fond du temps je vois ton seuil abandonné.

Je m'en irais aveugle et sans guide à ta porte,
Toucher le berceau nu qui daigna me nourrir ;
Si je deviens âgée et faible, qu'on m'y porte !
Je n'y pus vivre enfant ; j'y voudrais bien mourir ;
Marcher dans notre cour où croissait un peu d'herbe,
Où l'oiseau de nos toits descendait boire, et puis,
Pour coucher ses enfants, becquetait l'humble gerbe,
Entre les cailloux bleus que mouillait le grand puits !

De sa fraîcheur lointaine il lave encor mon âme,
Du présent qui me brûle il étanche la flamme,
Ce puits large et dormeur au cristal enfermé,
Où ma mère baignait son enfant bien-aimé :
Lorsqu'elle berçait l'air avec sa voix rêveuse,
Qu'elle était calme et blanche et paisible le soir,
Désaltérant le pauvre assis, comme on croit voir
Aux ruisseaux de la bible une fraîche laveuse :
Elle avait des accents d'harmonieux amour,
Que je buvais du cœur en jouant dans la cour !

Ciel ! où prend donc sa voix une mère qui chante,
Pour aider le sommeil à descendre au berceau ?
Dieu mit-il plus de grâce au souffle d'un ruisseau ?
Est-ce l'Eden rouvert à son hymne touchante,
Laissant sur l'oreiller de l'enfant qui s'endort,
Poindre tous les soleils qui lui cachent la mort ?
Et l'enfant assoupi, sous cette âme voilée,
Reconnait-il les bruits d'une vie écoulée ?
Est-ce un cantique appris à son départ du ciel,
Où l'adieu d'un jeune ange épancha quelque miel ?

. . . .

PAUVRES FLEURS (1839)

SOL NATAL

(*Extrait*)

. . . .

Mémoire ! étang profond couvert de fleurs légères ;
Lac aux poissons dormeurs tapis dans les fougères,
Quand la pitié du temps, quand son pied calme et sûr,
Enfoncent le passé dans ton flot teint d'azur,
Mémoire ! au moindre éclair, au moindre goût d'orage,
Tu montres tes secrets, tes débris, tes naufrages,
Et sur ton voile ouvert les souffles les plus frais,
Ne font longtemps trembler que larmes et cyprès !

. . . .

Là, comme on voit dans l'eau, d'ombre et de ciel couverte
Frissonner les vallons et les arbres mouvants,
Qui dansent avec elle au rire frais des vents,
J'ai regardé passer de notre Flandre verte,
Les doux tableaux d'église aux montantes odeurs,
Et de nos hauts remparts les calmes profondeurs ;
Car le livre est limpide et j'y suis descendue,
Comme dans une fête où j'étais attendue ;
Où toutes les clartés du maternel séjour,
Ont inondé mes yeux, tant la page est à jour !

. . . .

PAUVRES FLEURS (1839)

JOURS D'ÉTÉ

(*Extrait*)

. . . .

Pour regarder de près ces aurores nouvelles,
Mes six ans curieux battaient toutes leurs ailes ;
Marchant sur l'alphabet rangé sur mes genoux,
La mouche en bourdonnant me disait : « Venez-vous ?... »
Et mon nom qui tintait dans l'air ardent de joie,
Les pigeons sans liens sous leur robe de soie,
Mollement envolés de maison en maison,
Dont le fluide essor entraînait ma raison ;
Les arbres, hors des murs poussant leurs têtes vertes ;
Jusqu'au fond des jardins les demeures ouvertes ;
Le rire de l'été sonnant de toutes parts,
Et le congé, sans livre ! errant aux vieux remparts :
Tout combattait ma sœur à l'aiguille attachée ;
Tout passait en chantant sous ma tête penchée ;
Tout m'enlevait, boudeuse, et riante à la fois ;
Et l'alphabet toujours s'endormait dans ma voix.

. . . .

BOUQUETS ET PRIÈRES (1843)

LA FILEUSE ET L'ENFANT

(*Extrait*)

J'appris à chanter en allant à l'école :
Les enfants joyeux aiment tant les chansons !
Ils vont les crier au passereau qui vole ;
Au nuage, au vent, ils portent la parole,
Tout légers, tout fiers de savoir des leçons.

La blanche fileuse à son rouet penchée
Ouvrait ma jeune âme avec sa vieille voix
Lorsque j'écoutais, toute lasse et fâchée,
Toute buissonnière en un saule cachée,
Pour mon avenir ces thèmes d'autrefois.

Elle allait chantant d'une voix affaiblie,
Mêlant la pensée au lin qu'elle allongeait ;
Courbée au travail comme un pommier qui plie ;
Oubliant son corps d'où l'âme se délie ;
Moi, j'ai retenu tout ce qu'elle songeait :

— « Ne passez jamais devant l'humble chapelle
Sans y rafraîchir les rayons de vos yeux.
Pour vous éclairer c'est Dieu qui vous appelle ;
Son nom dit le monde à l'enfant qui l'épelle,
Et c'est, sans mourir, une visite aux cieux.

« Ce nom, comme un feu, mûrira vos pensées,
Semblable au soleil qui mûrit les blés d'or ;
Vous en formerez des gerbes enlacées
Pour les mettre un jour sous vos têtes lassées
Comme un faible oiseau qui chante et qui s'endort.

« N'ouvrez pas votre aile aux gloires défendues ;
De tous les lointains juge-t-on la couleur ?
Les voix sans écho sont les mieux entendues ;
Dieu tient dans sa main les clefs qu'on croit perdues ;
De tous les secrets lui seul sait la valeur.

« Quand vous respirez un parfum délectable,
Ne demandez pas d'où vient ce souffle pur.
Tout parfum descend de la divine table ;
L'abeille en arrive, artiste infatigable,
Et son miel choisi tombe aussi de l'azur.

« L'été, lorsqu'un fruit fond sous votre sourire,
Ne demandez pas : Ce doux fruit, qui l'a fait ?
Vous direz : C'est Dieu, Dieu par qui tout respire !
En piquant le mil l'oiseau sait bien le dire,
Le chanter aussi par un double bienfait.

« Si vous avez peur lorsque la nuit est noire,
Vous direz : Mon Dieu, je vois clair avec vous !
Vous êtes la lampe au fond de ma mémoire ;
Vous êtes la nuit, voilé dans votre gloire ;
Vous êtes le jour et vous brillez pour nous !

....

« Les ramiers s'en vont où l'été les emmène ;
L'eau court après l'eau qui fuit sans s'égarer.
Le chêne grandit sous le bras du grand chêne,
L'homme revient seul où son cœur le ramène,
Où les vieux tombeaux l'attirent pour pleurer. »

— J'appris tous ces chants en allant à l'école:
Les enfants joyeux aiment tant les chansons !
Ils vont les crier au passereau qui vole ;
Au nuage, au vent, ils portent la parole,
Tout légers, tout fiers de savoir des leçons.

POÉSIES INÉDITES (1860)

UN RUISSEAU DE LA SCARPE

Oui, j'avais des trésors... j'en ai plein ma mémoire.
J'ai des banquets rêvés où l'orphelin va boire.
Oh ! quel enfant des bleds, le long des chemins verts,
N'a, dans ses jeux errants, possédé l'univers ?

Emmenez-moi, chemins !... Mais non, ce n'est plus l'heure,
Il faudrait revenir en courant où l'on pleure,
Sans avoir regardé jusqu'au fond le ruisseau
Dont la vague mouilla l'osier de mon berceau.

Il courait vers la Scarpe en traversant nos rues
Qu'épurait la fraîcheur de ses ondes accrues ;
Et l'enfance aux longs cris saluait son retour
Qui faisait déborder tous les puits d'alentour.

Ecoliers de ce temps, troupe alerte et bruyante,
Où sont-ils vos présents jetés à l'eau fuyante ?
Le livre ouvert, parfois vos souliers pour vaisseaux,
Et vos petits jardins de mousse et d'arbrisseaux ?

Air natal ! aliment de saveur sans seconde,
Qui nourris tes enfants et les baise à la ronde ;
Air natal imprégné des souffles de nos champs,
Qui fais les cœurs pareils et pareils les penchants !

Et la longue innocence, et le joyeux sourire
Des nôtres qui n'ont pas de plus beau livre à lire
Que leur visage ouvert et leurs grands yeux d'azur,
Et leur timbre profond d'où sort l'entretien sûr !...

Depuis que j'ai quitté tes haleines bénies,
Tes familles aux mains facilement unies,
Je ne sais quoi d'amer à mon pain s'est mêlé,
Et partout sur mon jour une larme a tremblé.

Et je n'ai plus osé vivre à poitrine pleine
Ni respirer tout l'air qu'il faut à mon haleine.
On eût dit qu'un témoin s'y serait opposé...
Vivre pour vivre, oh non ! je ne l'ai plus osé !

Non, le cher souvenir n'est qu'un cri de souffrance !
Viens donc, toi, dont le cours peut traverser la France ;
A ta molle clarté je livrerai mon front,
Et dans tes flots du moins mes larmes se perdront.

Viens ranimer le cœur séché de nostalgie,
Le prendre, et l'inonder d'une fraîche énergie.
En sortant d'abreuver l'herbe de nos guérets,
Viens, ne fût-ce qu'une heure, abreuver mes regrets !

Amène avec ton bruit une de nos abeilles
Dont l'essaim, quoique absent, bourdonne en mes oreilles,
Elle en parle toujours ! diront-ils... Mais, mon Dieu,
Jeune, on a tant aimé ces parcelles de feu !

Ces gouttes de soleil dans notre azur qui brille,
Dansant sur le tableau lointain de la famille,
Visiteuses des bleds où logent tant de fleurs,
Miel qui vole émané des célestes chaleurs !

J'en ai tant vu passer dans l'enclos de mon père
Qu'il en fourmille au fond de tout ce que j'espère ;
Sur toi dont l'eau rapide a délecté mes jours,
Et m'a fait cette voix qui soupire toujours.

Dans ce poignant amour que je m'efforce à rendre,
Dont j'ai souffert longtemps avant de le comprendre,
Comme d'un pâle enfant on berce le souci,
Ruisseau, tu me rendrais ce qui me manque ici.

Ton bruit sourd, se mêlant au rouet de ma mère,
Enlevant à son cœur quelque pensée amère,
Quand pour nous le donner elle cherchait là-bas
Un bonheur attardé qui ne revenait pas.

Cette mère, à ta rive elle est assise encore ;
La voilà qui me parle, ô mémoire sonore !
O mes palais natals qu'on m'a fermés souvent !
La voilà qui les rouvre à son heureux enfant !

Je ressaisis sa robe, et ses mains, et son âme !
Sur ma lèvre entrouverte elle répand sa flamme!
Non! par tout l'or du monde on ne me paierait pas
Ce souffle, ce ruisseau qui font trembler mes pas !

POÉSIES INÉDITES (1860)

RÊVE INTERMITTENT D'UNE NUIT TRISTE

(*Extrait*)

O champs paternels hérissés de charmilles
Où glissent le soir des flots de jeunes filles !

O frais pâturages où de limpides eaux
Font bondir la chèvre et chanter les roseaux !

O terre natale ! à votre nom que j'aime,
Mon âme s'en va toute hors d'elle-même ;

Mon âme se prend à chanter sans effort ;
A pleurer aussi tant mon amour est fort !

J'ai vécu d'aimer, j'ai donc vécu de larmes ;
Et voilà pourquoi mes pleurs eurent leurs charmes.

Voilà, mon pays, n'en ayant pu mourir,
Pourquoi j'aime encore au risque de souffrir.

Voilà, mon berceau, ma colline enchantée,
Dont j'ai tant foulé la robe veloutée,

Pourquoi je m'envole à vos bleus horizons,
Rasant les flots d'or des pliantes moissons.

....

O patrie absente ! ô fécondes campagnes,
Où vinrent s'asseoir les ferventes Espagnes !

Antiques noyers, vrais maîtres de ces lieux,
Qui versez tant d'ombre où dorment nos aïeux !

Echos tout vibrants de la voix de mon père
Qui chantait pour tous : « Espère ! espère ! espère ! »

Ce chant apporté par des soldats pieux,
Ardents à planter tant de croix sous nos cieux,

Tant de hauts clochers remplis d'airain sonore,
Dont les carillons les rappellent encore :

Je vous enverrai ma vive et blonde enfant,
Qui rit quand elle a ses longs cheveux au vent.

Parmi les enfants nés à votre mamelle,
Vous n'en avez pas qui soit si charmant qu'elle !

Un vieillard a dit en regardant ses yeux :
« Il faut que sa mère ait vu ce rêve aux cieux ! »

En la soulevant par ses blanches aisselles
J'ai cru bien souvent que j'y sentais des ailes !

Ce fruit de mon âme, à cultiver si doux,
S'il faut le céder, ce ne sera qu'à vous !

Du lait qui vous vient d'une source divine
Gonflez le cœur pur de cette frêle ondine.

Le lait jaillissant d'un sol vierge et fleuri
Lui paiera le mien qui fut triste et tari.

Pour voiler son front qu'une flamme environne
Ouvrez vos bluets en signe de couronne :

Des pieds si petits n'écrasent pas les fleurs,
Et son innocence a toutes leurs couleurs.

....

Que vos ruisseaux clairs dont les bruits m'ont parlé,
Humectent sa voix d'un long rythme perlé !...

Avant de gagner sa couche de fougère,
Laissez-la courir, curieuse et légère,

Au bois où la lune épanche ses lueurs
Dans l'arbre qui tremble inondé de ses pleurs,

Afin qu'en dormant sous vos images vertes
Ses grâces d'enfant en soient toutes couvertes.

....

Sans piquer son front vos abeilles, là-bas,
L'instruiront, rêveuse, à mesurer ses pas ;

Car l'insecte armé d'une sourde cymbale
Donne à la pensée une césure égale.

Ainsi s'en ira, calme et libre et content,
Ce filet d'eau vive au bonheur qui l'attend ;

Et d'un chêne creux la Madone oubliée
La regardera dans l'herbe agenouillée.

Quand je la berçais, doux poids de mes genoux !
Mon chant, mes baisers, tout lui parlait de vous,

O champs paternels, hérissés de charmilles
Où glissent, le soir, des flots de jeunes filles.

Que ma fille monte à vos flancs ronds et verts ,
Et soyez béni, doux point de l'Univers !

POÉSIES INÉDITES (1860)

ÉLÉGIE

Ma sœur, il est parti ! ma sœur, il m'abandonne !
Je sais qu'il m'abandonne, et j'attends, et je meurs,
Je meurs. Embrasse-moi, pleure pour moi... pardonne...
Je n'ai pas une larme, et j'ai besoin de pleurs.
Tu gémis ? Que je t'aime ! Oh ! jamais le sourire
Ne te rendit plus belle aux plus beaux de nos jours.
Tourne vers moi les yeux, si tu plains mon délire ;
Si tes yeux ont des pleurs, regarde-moi toujours.
Mais retiens tes sanglots. Il m'appelle, il me touche,
Son souffle en me cherchant vient d'effleurer ma bouche.
Laisse, tandis qu'il brûle et passe autour de nous,
Laisse-moi reposer mon front sur tes genoux.

Ecoute ! ici, ce soir, à moi-même cachée,
Je ne sais quelle force attirait mon ennui :
Ce n'était plus son ombre à mes pas attachée,
Oh ! ma sœur, c'était lui !
C'était lui, mais changé, mais triste. Sa voix tendre
Avait pris des accents inconnus aux mortels,
Plus ravissants, plus purs, comme on croit les entendre
Quand on rêve des cieux aux pieds des saints autels.
Il parlait, et ma vie était près de s'éteindre.
L'étonnement, l'effroi, ce doux effroi du cœur,
M'enchaînait devant lui. Je l'écoutais se plaindre,
Et, mourante pour lui, je plaignais mon vainqueur..

Il parlait, il rendait la nature attentive ;
Tout se taisait. Des vents l'haleine était captive ;
Du rossignol ému le chant semblait mourir ;
On eût dit que l'eau même oubliait de courir.

Hélas ! qu'avait-il fait alors pour me déplaire ?
    Il gémissait, me cherchait comme toi.
    Non, je n'avais plus de colère,
Il n'était plus coupable, il était devant moi.

Sais-tu ce qu'il m'a dit ? des reproches... des larmes...
    Il sait pleurer, ma sœur !
O Dieu ! que sur son front la tristesse a de charmes !
Que j'aimais de ses yeux la brûlante douceur !
Sa plainte m'accusait ; le crime... je l'ignore :
J'ai fait pour l'expliquer des efforts superflus.
Ces mots seuls m'ont frappée, il me les crie encore :
    « Je ne te verrai plus ! »

Et je l'ai laissé fuir, et ma langue glacée
A murmuré son nom qu'il n'a pas entendu ;
Et sans saisir sa main ma main s'est avancée,
Et mon dernier adieu dans les airs s'est perdu.

POÉSIES (1822)

ÉLÉGIE

Peut-être un jour sa voix tendre et voilée
M'appellera sous de jeunes cyprès ;
Cachée alors au fond de la vallée,
Plus heureuse que lui, j'entendrai ses regrets.
Lentement, des coteaux je le verrai descendre ;
Quand il croira ses pas et ses vœux superflus,
Il pleurera ! ses pleurs rafraîchiront ma cendre ;

Enchaînée à ses pieds, je ne le fuirai plus.
Je ne le fuirai plus ! je l'entendrai ; mon âme,
Brûlante autour de lui, voudra sécher ses pleurs ;
Et ce timide accent, qui trahissait ma flamme,
Il le reconnaîtra dans le doux bruit des fleurs.
Oh ! qu'il trouve un rosier mourant et solitaire !
Qu'il y cherche mon souffle et l'attire en son sein !
Qu'il dise : « C'est pour moi qu'il a quitté la terre ;
Ses parfums sont à moi, ce n'est plus un larcin. »
Qu'il dise : « Un jour à peine il a bordé la rive ;
Son vert tendre égayait le limpide miroir ;
Et ses feuilles déjà, dans l'onde fugitive,
Tombent. Faible rosier, tu n'as pas vu le soir ! »
Alors, peut-être, alors l'hirondelle endormie,
A la voix d'un amant qui pleure son amie,
S'échappera du sein des parfums précieux,
Emportant sa prière et ses larmes aux cieux .
Alors, rêvant aux biens que ce monde nous donne,
Il laissera tomber sur le froid monument
Les rameaux affligés dont la gloire environne
    Son front triste et charmant.

Alors je resterai seule, mais consolée,
Les vents respecteront l'empreinte de ses pas.
Déjà je voudrais être au fond de la vallée :
Déjà je l'attendrais... Dieu ! s'il n'y venait pas !

POÉSIES (1822)

SOUVENIR

Quand il pâlit un soir, et que sa voix tremblante
S'éteignit tout à coup dans un mot commencé ;
Quand ses yeux, soulevant leur paupière brûlante,
Me blessèrent d'un mal dont je le crus blessé ;

Quand ses traits plus touchants, éclairés d'une flamme
    Qui ne s'éteint jamais,
S'imprimèrent vivants dans le fond de mon âme :
    Il n'aimait pas, j'aimais !

ÉLÉGIES ET POÉSIES NOUVELLES (1825)

ÉLÉGIE

(*Extrait*)

Toi qui m'as tout repris jusqu'au bonheur d'attendre,
Tu m'as laissé pourtant l'aliment d'un cœur tendre,
L'amour ! et ma mémoire où se nourrit l'amour.
Je lui dois le passé ; c'est presque ton retour !
C'est là que tu m'entends, c'est là que je t'adore,
C'est là que sans fierté je me révèle encore.
Ma vie est dans ce rêve où tu ne fuis jamais ;
Il a ta voix ; ta voix ! Tu sais si je l'aimais !
C'est là que je te plains ; car plus d'une blessure,
Plus d'une gloire éteinte a troublé, j'en suis sûre,
Ton cœur, si généreux pour d'autres que pour moi :
Je t'ai senti gémir ; je pleurais avec toi !

Qui donc saura te plaindre au fond de ta retraite,
Quand le cri de ma mort ira frapper ton sein ?
Tu t'éveilleras seul dans la foule distraite,
Où des amis d'un jour s'entr'égare l'essaim ;
Tu n'y sentiras plus une âme palpitante
Au bruit de tes malheurs, de tes moindres revers,
Ta vie, après ma mort, sera moins éclatante ;
Une part de toi-même aura fui l'univers.
Il est doux d'être aimé ! Cette croyance intime
Donne à tout on ne sait quel air d'enchantement :

L'infidèle est content des pleurs de sa victime ;
Et, fier, aux pieds d'une autre il en est plus charmant.

. . . .

Je n'entends plus ces déchirantes voix,
Qui vont chercher des pleurs jusques au fond des âmes;
Ces mots inachevés, qui m'ont dit tant de fois
Les noms changeants de tes errantes flammes ;
Je les sais tous ! ils ont brisé mes vœux ;
Mais je n'étouffe plus dans mon incertitude :
Nous mourrons désunis ; n'est-ce pas, tu le veux ?
Pour t'oublier, viens voir !... qu'ai-je dit ? vaine étude,
Où la nature apprend à surmonter ses cris,
Pour déguiser mon cœur, que m'avez-vous appris ?
La vérité s'élance à mes lèvres sincères ;
Sincère, elle t'appelle, et tu ne l'entends pas !
Ah ! sans t'avoir troublé qu'elle meure tout bas !
Je ne sais point m'armer de froideurs mensongères :
Je sais fuir ; en fuyant on cache sa douleur,
Et la fatigue endort jusqu'au malheur.
Oui, plus que toi l'absence est douce aux cœurs fidèles :
Du temps qui nous effeuille elle amortit les ailes ;
Son voile a protégé l'ingrat qu'on veut chérir :
On ose aimer encore, on ne veut plus mourir.

POÉSIES (1830)

ÉLÉGIE

Il fait nuit : le vent souffle et passe dans ma lyre ;
Ma lyre tristement s'éveille auprès de moi :
On dirait qu'elle pleure un tourment, un délire ;
On dirait qu'elle essaie à se plaindre de toi ;
De toi, qu'elle appelait pour m'aider à t'attendre,
Qui la rendis si vraie, et par malheur si tendre !

Car tu ne peux ravir à ses accords touchants
Ton nom, toujours ton nom, qui courait dans mes chants,
Elle ne le dit plus ce nom doux et sonore ;
Elle ne le dit plus, elle le pleure encore !
Combien elle a frémi, combien elle a chanté,
Sous les prompts battements de mon cœur agité,
Alors que, dans l'orgueil des amantes aimées,
Je confiais mon âme aux cordes animées !
Je croyais que les cieux ne donnaient tant d'amour
Que pour en pénétrer une autre âme à son tour !

Ah ! j'aurais dû mourir, doucement endormie,
Dans cette erreur charmante où j'étais ton amie.
Devrait-on s'éveiller de ces rêves confus,
Pour y penser toujours, et pour n'y croire plus ?

POÉSIES (1830)

LES CLOCHES DU SOIR

Quand les cloches du soir, dans leur lente volée,
Feront descendre l'heure au fond de la vallée ;
Quand tu n'auras d'amis, ni d'amours près de toi ;
Pense à moi ! pense à moi !

Car les cloches du soir avec leur voix sonore,
A ton cœur solitaire iront parler encore ;
Et l'air fera vibrer ces mots autour de toi :
Aime-moi ! aime-moi !

Si les cloches du soir éveillent tes alarmes,
Demande au temps ému qui passe entre nos larmes.
Le temps dira toujours qu'il n'a trouvé que toi,
Près de moi ! près de moi !

Quand les cloches du soir, si tristes dans l'absence,
Tinteront sur mon cœur ivre de ta présence ;
Ah ! c'est le chant du ciel qui sonnera pour toi,
Et pour moi ! et pour moi !

POÉSIES (1830)

RÉVÉLATION

(*Extrait*)

....

Que de portraits de toi j'ai vus dans les nuages !
Que j'ai dans tes bouquets respiré de présages !
Que de fois j'ai senti, par un nœud doux et fort,
Ton âme s'enlacer à l'entour de mon sort !
Quand tu me couronnais d'une seconde vie,
Que de fois sur ton sein je m'en allais ravie,
Et reportée aux champs que mon père habitait,
Quand j'étais blonde et frêle et que l'on me portait !
Que de fois dans tes yeux j'ai reconnu ma mère !
Oui, toute femme aimée a sa jeune chimère,
Sois-en sûr : elle prie, elle chante, et c'est toi
Qui gardais ces tableaux longtemps voilés pour moi.
Oui ! si quelque musique à mon âme cachée
Frappe sur mon sommeil et m'inspire d'amour,
C'est pour ta douce image à ma vie attachée,
Caressante chaleur sur mon sort épanchée,
Comme sur un mur sombre un sourire du jour.
Mais par un mot changé troubles-tu ma tendresse,
Oh ! de quel paradis tu fais tomber mon cœur !
D'une larme versée au fond de mon ivresse,
Si tu savais le poids, ému de ta rigueur,

Penché sur mon regard qui tremble et qui t'adore,
Comme on baise les pleurs dont l'enfant nous implore,
A ton plus faible enfant tu viendrais, et tout bas :
« J'ai voulu t'éprouver, grâce ! ne pleure pas... »
Parle-moi doucement ! sans voix, parle à mon âme ;
Le souffle appelle un souffle, et la flamme une flamme.
Entre deux cœurs charmés il faut peu de discours,
Comme à deux filets d'eau peu de bruit dans leur cours.
Ils vont ! les vents d'été parfument leur voyage.
Altérés l'un de l'autre et contents de frémir,
Ce n'est que de bonheur qu'on les entend gémir.
Quand l'hiver les cimente et fixe leur image,
Ils dorment suspendus sous le même pouvoir,
Et si bien emmêlés qu'ils ne font qu'un miroir.

On a si peu de temps à s'aimer sur la terre !
Oh ! qu'il faut se hâter de dépenser son cœur !
Grondé par le remords, prends garde ! il est grondeur,
L'un des deux, mon amour, pleurera solitaire.
Parle-moi doucement, afin que dans la mort
Tu scelles nos adieux d'un baiser sans remord,
Et qu'en entrant aux cieux, toi calme, moi légère,
Nous soyons reconnus pour amants de la terre.
Que si l'ombre d'un mot t'accusait devant moi,
A Dieu, sans le tromper, je réponde pour toi :
« Il m'a beaucoup aimée ! Il a bu de mes larmes ;
Son âme a regardé dans toutes mes douleurs ;
Il a dit qu'avec moi l'exil aurait des charmes,
La prison du soleil, la vieillesse des fleurs ! »

Et Dieu nous unira d'éternité ; prends garde !
Fais-moi belle de joie ! et quand je te regarde,
Regarde-moi ; jamais ne rencontre ma main
Sans la presser. Cruel ! on peut mourir demain,

Songe donc ! Crains surtout qu'en moi-même enfermée,
Ne me souvenant plus que je fus trop aimée,
Je ne dise, pauvre âme, oublieuse des cieux,
Pleurant sous mes deux mains et me cachant les yeux :
« Dans tous mes souvenirs je sens couler mes larmes ;
Tout ce qui fit ma joie enfermait mes douleurs ;
Mes jeunes amitiés sont empreintes des charmes
Et des parfums mourants qui survivent aux fleurs. »

Je dis cela, jalouse, et je sens ma pensée
Sortir en cris plaintifs de mon âme oppressée.
Quand tu ne réponds pas, j'ai honte à tant d'amour,
Je gronde mes sanglots, je m'évite à mon tour,
Je m'en retourne à Dieu, je lui demande un père,
Je lui montre mon cœur gonflé de ta colère,
Je lui dis, ce qu'il sait, que je suis son enfant,
Que je veux espérer et qu'on me le défend !

Ne me le défends plus ! laisse brûler ma vie.
Si tu sais le doux mal où je suis asservie,
Oh ! ne me dis jamais qu'il faudra se guérir ;
Car tu me vois dans l'âme : approche, tu peux lire ;
Voilà notre secret ; est-ce mal de le dire ?
Non ! rien ne meurt. Pieux d'amour ou d'amitié,
Vois-tu, d'un cœur de femme il faut avoir pitié !

LES PLEURS (1833)

DÉTACHEMENT

Il est des maux sans nom, dont la morne amertume
Change en affreuses nuits nos jours qu'elle consume.
Se plaindre est impossible ; on ne sait plus parler ;
Les pleurs même du cœur refusent de couler.

On ne se souvient pas, perdu dans le naufrage,
De quel astre inclément s'est échappé l'orage.
Qu'importe ? Le malheur s'est étendu partout ;
Le passé n'est qu'une ombre, et l'attente un dégoût.

C'est quand on a perdu tout appui de soi-même ;
C'est quand on n'aime plus, que plus rien ne nous aime ;
C'est quand on sent mourir son regard attaché
Sur un bonheur lointain qu'on a longtemps cherché,
Créé pour nous peut-être ! et qu'indigne d'atteindre,
On voit comme un rayon trembler, fuir... et s'éteindre.

LES PLEURS (1833)

LA SINCÈRE

Veux-tu l'acheter ?
Mon cœur est à vendre.
Veux-tu l'acheter,
Sans nous disputer ?

Dieu l'a fait d'aimant,
Tu le feras tendre ;
Dieu l'a fait d'aimant
Pour un seul amant !

Moi, j'en fais le prix ;
Veux-tu le connaître ?
Moi, j'en fais le prix ;
N'en sois pas surpris.

As-tu tout le tien ?
Donne ! et sois mon maître.
As-tu tout le tien,
Pour payer le mien ?

S'il n'est plus à toi,
Je n'ai qu'une envie ;
S'il n'est plus à toi,
Tout est dit pour moi.

Le mien glissera,
Fermé dans la vie ;
Le mien glissera,
Et Dieu seul l'aura !

Car, pour nos amours,
La vie est rapide ;
Car, pour nos amours,
Elle a peu de jours.

L'âme doit courir
Comme une eau limpide ;
L'âme doit courir,
Aimer ! et mourir.

LES PLEURS (1833)

AVANT TOI

(*Extrait*)

. . . .

Mais quand tu dis : « Je viens ! » quelle cloche de fête,
Fit bondir le sommeil attardé sur ma tête ;
Quelle rapide étreinte attacha notre sort,
Pour entre-ailer nos jours d'un fraternel essor !
Ma vie, elle avait froid, s'alluma dans la tienne,
Et ma vie a brillé, comme on voit au soleil,
Se dresser une fleur sans que rien la soutienne ;
Rien qu'un baiser de l'air ; rien qu'un rayon vermeil,

Un rayon curieux, altéré de mystère,
Cherchant sa fleur d'exil attachée à la terre,
Et si tu descendis de si haut pour me voir,
C'est que je t'attendais à genoux, mon espoir !
Sans dignité ?... que si ! mais fervente et pieuse.
A l'heure qui tombait lente, religieuse,
Comme on écoute Dieu, moi, j'écoutai l'amour,
Et tes yeux pleins d'éclairs m'ouvrirent trop de jour !
Aussi, dès qu'en entier ton âme m'eut saisie,
Tu fus ma piété ! mon ciel ! ma poésie !
Aussi, sans te parler, je te nomme souvent,
Mon frère devant Dieu ! mon âme ! ou mon enfant !
Tu ne sauras jamais comme je sais moi-même,
A quelle profondeur je t'atteins et je t'aime :
Tu serais par la mort arraché de mes vœux,
Que pour te ressaisir mon âme aurait des yeux,
Des lueurs, des accents, des larmes, des prières,
Qui forceraient la mort à rouvrir tes paupières.

....

PAUVRES FLEURS (1839)

L'HIVER

Non, ce n'est pas l'été, dans le jardin qui brille,
Où tu t'aimes de vivre, où tu ris, cœur d'enfant !
Où tu vas demander à quelque jeune fille,
Son bouquet frais comme elle et que rien ne défend .

Ce n'est pas aux feux blancs de l'aube qui t'éveille,
Qui rouvre à ta pensée un lumineux chemin,
Quand tu crois, aux parfums retrouvés de la veille,
Saisir déjà l'objet qui t'a dit : « A demain ! »

Non ! ce n'est pas le jour, sous le soleil d'où tombent
Les roses, les senteurs, les splendides clartés,
Les terrestres amours qui naissent et succombent,
Que tu dois me rêver pleurante à tes côtés :

C'est l'hiver, c'est le soir, près d'un feu dont la flamme
Eclaire le passé dans le fond de ton âme.
Au milieu du sommeil qui plane autour de toi
Une forme s'élève ; elle est pâle ; c'est moi ;

C'est moi qui viens poser mon nom sur ta pensée,
Sur ton cœur étonné de me revoir encor ;
Triste, comme on est triste, a-t-on dit, dans la mort,
A se voir poursuivi par quelque âme blessée,
Vous chuchotant tout bas ce qu'elle a dû souffrir,
Qui passe et dit : « C'est vous qui m'avez fait mourir ! »

PAUVRES FLEURS (1839)

QU'EN AVEZ-VOUS FAIT ?

Vous aviez mon cœur,
Moi, j'avais le vôtre :
Un cœur pour un cœur ;
Bonheur pour bonheur !

Le vôtre est rendu ;
Je n'en ai plus d'autre,
Le vôtre est rendu
Le mien est perdu.

La feuille et la fleur
Et le fruit lui-même,
La feuille et la fleur,
L'encens, la couleur :

Qu'en avez-vous fait,
Mon maître suprême ?
Qu'en avez-vous fait,
De ce doux bienfait ?

Comme un pauvre enfant,
Quitté par sa mère,
Comme un pauvre enfant,
Que rien ne défend :

Vous me laissez là,
Dans ma vie amère ;
Vous me laissez là,
Et Dieu voit cela !

Savez-vous qu'un jour,
L'homme est seul au monde ?
Savez-vous qu'un jour,
Il revoit l'amour ?

Vous appellerez,
Sans qu'on vous réponde,
Vous appellerez ;
Et vous songerez !...

Vous viendrez rêvant,
Sonner à ma porte ;
Ami comme avant,
Vous viendrez rêvant.

Et l'on vous dira :
« Personne... elle est morte. »
On vous le dira :
Mais, qui vous plaindra !

PAUVRES FLEURS (1839)

MA CHAMBRE

Ma demeure est haute,
Donnant sur les cieux ;
La lune en est l'hôte,
Pâle et sérieux :
En bas que l'on sonne,
Qu'importe aujourd'hui ?
Ce n'est plus personne,
Quand ce n'est plus lui !

Aux autres cachée,
Je brode mes fleurs ;
Sans être fâchée,
Mon âme est en pleurs ;
Le ciel bleu sans voiles,
Je le vois d'ici ;
Je vois les étoiles :
Mais l'orage aussi !

Vis-à-vis la mienne
Une chaise attend :
Elle fut la sienne,
La nôtre un instant ;
D'un ruban signée,
Cette chaise est là,
Toute résignée,
Comme me voilà !

BOUQUETS ET PRIÈRES (1843)

AMOUR

(*Extrait*)

Hélas, avant la mort d'où vient que je te pleure ?
De nos doux rendez-vous qui donc a manqué l'heure ?
Le temps va comme il veut ; l'amour s'est arrêté ;
Ne me reviendras-tu que dans l'éternité ?...

....

L'amour vrai, tiens, c'est Dieu remontant au calvaire.
J'ai lu dans un beau livre, humble, grand et sévère,
Dont l'esprit devant toi me relève aujourd'hui :
« L'Eternel mit la femme entre le monde et lui. »

Moi, je suis une femme aussi comme ta mère !
Elle me défendrait de ton insulte amère.
Plus grand que son amour, mon amour se donna !
Une femme aima trop, et Dieu lui pardonna.

Crois donc que pour aimer il faut un grand courage ;
Que rester immobile au pied d'un tel orage,
Ce n'est point lâcheté, comme tu dis toujours :
C'est attendre la mort sans disputer ses jours ;
C'est accomplir un vœu, fait au bord de l'enfance,
De ne rendre jamais l'offense pour l'offense ;
C'est acheter longtemps, par pleurs et par pitié,
Une âme, qu'on voulut pour sœur et pour moitié,
Une chère âme, au monde et donnée et perdue,
Et qui par une autre âme au ciel sera rendue !

Ainsi, crois à l'amour ! Il est plus fort que toi :
S'il vit seul, s'il attend, s'il pardonne, c'est moi.

BOUQUETS ET PRIÈRES (1843)

ALLEZ EN PAIX

Allez en paix, mon cher tourment,
Vous m'avez assez alarmée,
Assez émue, assez charmée...
Allez au loin, mon cher tourment,
Hélas ! mon invisible aimant !

Votre nom seul suffira bien
Pour me retenir asservie ;
Il est alentour de ma vie
Roulé comme un ardent lien ;
Ce nom vous remplacera bien.

Ah ! je crois que sans le savoir
J'ai fait un malheur sur la terre ;
Et vous, mon juge involontaire
Vous êtes donc venu me voir
Pour me punir, sans le savoir ?

D'abord ce fut musique et feu,
Rires d'enfants, danses rêvées,
Puis les larmes sont arrivées
Avec les peurs, les nuits de feu...
Adieu danses, musique et jeu !

Sauvez-vous par le beau chemin
Où plane l'hirondelle heureuse :
C'est la poésie amoureuse :
Pour ne pas la perdre en chemin
De mon cœur ôtez votre main.

Dans votre prière, tout bas,
Le soir, laissez entrer mes larmes ;
Contre vous elles n'ont point d'armes.

Dans vos discours n'en parlez pas !
Devant Dieu pensez-y tout bas.

POÉSIES INÉDITES (1860)

LES CLOCHES ET LES LARMES

Sur la terre où sonne l'heure,
Tout pleure, ah ! mon Dieu, tout pleure.

L'orgue sous le sombre arceau,
Le pauvre offrant sa neuvaine,
Le prisonnier dans sa chaîne
Et l'enfant dans son berceau ;

Sur la terre où sonne l'heure,
Tout pleure, ah ! mon Dieu, tout pleure.

La cloche pleure le jour
Qui va mourir sur l'église,
Et cette pleureuse assise,
Qu'a-t-elle à pleurer ?... L'amour.

Sur la terre où sonne l'heure,
Tout pleure, ah ! mon Dieu, tout pleure.

Priant les anges cachés
D'assoupir ses nuits funestes
Voyez, aux sphères célestes,
Ses longs regards attachés.

Sur la terre où sonne l'heure,
Tout pleure, ah ! mon Dieu, tout pleure.

Et le ciel a répondu :
« Terre, ô terre, attendez l'heure !
J'ai dit à tout ce qui pleure,
Que tout lui sera rendu. »

Sonnez, cloches ruisselantes !
Ruisselez, larmes brûlantes !
Cloches qui pleurez le jour !
Beaux yeux qui pleurez l'amour !

POÉSIES INÉDITES (1860)

LES ÉCLAIRS

Orages de l'amour, nobles et hauts orages,
Pleins de nids gémissants blessés sous les ombrages,
Pleins de fleurs, pleins d'oiseaux perdus, mais dans les cieux,
Qui vous perd ne voit plus, éclairs délicieux !

POÉSIES INÉDITES (1860)

LA JEUNE FILLE ET LE RAMIER

Les rumeurs du jardin disent qu'il va pleuvoir ;
Tout tressaille averti de la prochaine ondée ;
Et toi qui ne lis plus, sur ton livre accoudée,
Plains-tu l'absent aimé qui ne pourra te voir ?

Là-bas, pliant son aile et mouillé sous l'ombrage
Banni de l'horizon qu'il n'atteint que des yeux,
Appelant sa compagne et regardant les cieux
Un ramier, comme toi, soupire de l'orage.

Laissez pleuvoir, ô cœurs solitaires et doux !
Sous l'orage qui passe il renaît tant de choses.
Le soleil sans la pluie ouvrirait-il les roses ?
Amants, vous attendez, de quoi vous plaignez-vous ?

POÉSIES INÉDITES (1860)

Amour, divin rôdeur, glissant entre les âmes,
Sans te voir de mes yeux, je reconnais tes flammes.
Inquiets des lueurs qui brûlent dans les airs,
Tous les regards errants sont pleins de tes éclairs.

C'est lui ! Sauve qui peut ! Voici venir les larmes !...
Ce n'est pas tout d'aimer, l'amour porte des armes.
C'est le roi, c'est le maître, et pour le désarmer,
Il faut plaire à l'amour, ce n'est pas tout d'aimer !

POÉSIES INÉDITES (1860)

LES SÉPARÉS (1)

N'écris pas. Je suis triste, et je voudrais m'éteindre.
Les beaux étés sans toi, c'est la nuit sans flambeau.
J'ai refermé mes bras qui ne peuvent t'atteindre,
Et frapper à mon cœur, c'est frapper au tombeau.
N'écris pas !

---

(1) Reproduit pour la première fois par Sainte-Beuve (cf. sa biographie de M. D.-V.) d'après des brouillons raturés. Maurice Allem remarque que la poétesse « si elle avait eu l'occasion de publier cette pièce l'aurait probablement revue et n'y aurait pas laissé un mot (« cœur ») rimer avec lui-même ».

N'écris pas. N'apprenons qu'à mourir à nous-mêmes.
Ne demande qu'à Dieu.. qu'à toi, si je t'aimais !
Au fond de ton absence écouter que tu m'aimes,
C'est entendre le ciel sans y monter jamais.
N'écris pas !

N'écris pas. Je te crains ; j'ai peur de ma mémoire ;
Elle a gardé ta voix qui m'appelle souvent.
Ne montre pas l'eau vive à qui ne peut la boire.
Une chère écriture est un portrait vivant.
N'écris pas !

N'écris pas ces doux mots que je n'ose plus lire :
Il semble que ta voix les répand sur mon cœur ;
Que je les vois brûler à travers ton sourire ;
Il semble qu'un baiser les empreint sur mon cœur.
N'écris pas !

L'ATTENTE

C'est l'heure où, par mon âme en silence implorée,
Ton âme est attirée.
Quand tes pas font trembler ma vie et les roseaux,
Quand tout est calme aux cieux, sur la terre et les eaux
On dirait que tout prend une âme sur la terre,
Pour bénir avec moi cette nuit de mystère,
Pour aimer comme toi, pour chercher ses amours,
Pour respirer l'air pur qui rafraîchit nos jours
Et goûter, avec nous, cette nuit qu'il faut taire.

ALBUMS A PAULINE (1921)

LE RÊVE DE MON ENFANT

(*Extrait*)

. . . .

Dès lors un mal secret répandit sa pâleur
Sur ce front incliné, qui brûlait sous mes larmes.
Je voyais se détruire avant moi tant de charmes,
Comme un frêle bouton s'effeuille avant la fleur.
Je le voyais ! et moi, rebelle... suppliante,
Je disputais un ange à l'immortel séjour.
Après soixante jours de deuil et d'épouvante,
Je criais vers le ciel : « Encore, encore un jour ! »
Vainement. J'épuisai mon âme tout entière ;
A ce berceau plaintif j'enchaînai mes douleurs ;
Repoussant le sommeil et m'abreuvant de pleurs,
Je criais à la mort : « Frappe-moi la première ! »
Vainement. Et la mort, froide dans son courroux,
Irritée à l'espoir qu'elle accourait éteindre
Et moissonnant l'enfant, ne daigna pas atteindre
La mère expirante à genoux.

. . . .

ÉLÉGIES ET POÉSIES NOUVELLES (1825)

LE VER LUISANT

Juin parfumait la nuit, et la nuit transparente
N'était qu'un voile frais étendu sur les fleurs :
L'insecte lumineux, comme une flamme errante,
Jetait avec orgueil ses mobiles lueurs.

« J'éclaire tout, dit-il, et jamais la Nature
N'a versé tant d'éclat sur une créature !
Tous ces vers roturiers qui rampent au grand jour,
Celui qui dans la soie enveloppe sa vie,
Cette plèbe des champs, dont j'excite l'envie,
Me fait pitié, me nuit dans mon vaste séjour.
Nés pour un sort vulgaire et des soins insipides,
Immobiles et froids comme en leurs chrysalides,
La nuit, sur les gazons, je les vois sommeiller.
Moi, lampe aventureuse, au loin on me devine ;
Etincelle échappée à la source divine,
Je n'apparais que pour briller.
Sans me brûler, j'allume un phare à l'espérance ;
De mes jeunes époux il éveille l'amour ;
Sur un trône de fleurs, belles de ma présence,
J'attire mes sujets, j'illumine ma cour.
Et ces feux répandus dans de plus hautes sphères,
Ces diamants rangés en phares gracieux,
Ce sont assurément mes frères
Qui se promènent dans les cieux.
Les rois qui dorment mal charment leur insomnie
A regarder courir ces légers rayons d'or ;
Au sein de l'éclatante et nocturne harmonie,
C'est moi qu'ils admirent encor :
Leur grandeur en soupire, et rien dans leur couronne
N'offre l'éclat vivant dont seul je m'environne ! »

Ainsi le petit ver se délectait d'orgueil ;
Il brillait. Philomèle, à sa flamme attentive,
Interrompt son hymne de deuil
Que le soir rendait plus plaintive.
Jalouse, ou rappelant quelque exilé chéri,
Mélodieuse encor dans son inquiétude,
Amante de ses pleurs et de la solitude,
Elle épuisait son cœur d'un lamentable cri.
N'ayant de tout le jour cherché la moindre proie,
Par instinct, sans projet, sans joie,
Elle descend à la lueur
Qui sert de fanal pour l'atteindre ;
Et, sans même goûter de plaisir à l'éteindre,
S'en nourrit, pour chanter plus longtemps sa douleur.

POÉSIES (1830)

MA FILLE

Ondine ! enfant joyeux qui bondis sur la terre,
Mobile comme l'eau qui t'a donné son nom,
Es-tu d'un séraphin le miroir solitaire ?
Sous ta grâce mortelle orne-t-il ma maison ?

Quand je t'y vois glisser dansante et gracieuse,
Je sens flotter mon âme errante autour de toi :
Je me regarde vivre, ombre silencieuse ;
Mes jours purs, sous tes traits, repassent devant moi !

Car toujours ramenés vers nos jeunes annales,
Nous retrempons nos yeux dans leurs fraîches couleurs;

Midi n'a plus le goût des heures matinales
Où l'on a respiré tant de sauvages fleurs !
Le champ, le plus beau champ que renfermait la terre,
Furent les blés bordant la maison de mon père,
Où je dansais, volage, en poursuivant du cœur
Un rêve qui criait : « Bonheur ! bonheur ! bonheur ! »

C'est toi ! mes yeux blessés par le temps et les larmes,
Redevenus miroirs, se rallument d'amour !
N'es-tu pas tout ce monde infini, plein de charmes,
Que j'encerclais d'espoir, en essayant le jour ?

Viens donc, ma vie enfant ! et si tu la prolonges,
Ondine ! aux mêmes flots ne l'abandonne pas.
Que les ruisseaux, les bois, les fleurs où tu te plonges,
Gardent leur fraîche amorce au penchant de tes pas ;
Viens ! mon âme sur toi pleure et se désaltère.
Ma fille, ils m'ont fait mal !... Mets tes mains sur mes yeux,
Montre-moi l'espérance et cache-moi la terre ;
Ange ! retiens mon vol, ou suis-moi dans les cieux...

Mais tu n'entendras pas mes plaintes interdites.
Dit-on au passereau de haïr, d'avoir peur ?
Tes oreilles encor sont tendres et petites,
Enfant ! je ne veux pas méchantiser ton cœur.

Garde-le plein d'écho de ma voix maternelle :
Dieu qui t'écoute encore ainsi m'écoutera.
O ma blanche colombe ! entrouvre-moi ton aile ;
Mon cœur a fait le tien ; il s'y renfermera ;
Car ce serait affreux et pitié de t'apprendre,
Quand tu baises mes pleurs, ce qui les fait couler :
Va les porter à Dieu, sans chercher à comprendre
Ce qu'une larme pèse et coûte à révéler !

Tout pleure ! et l'innocent que le torrent entraîne,
Et ceux qui, pour prier, n'ont que leurs repentirs ;
Peut-être en ce moment les soupirs d'une reine,
Sur la route du ciel, rencontrent mes soupirs.

Mais que l'oiseau des nuits t'effleure en sa tristesse :
Il passe, mon Ondine, il passe avec vitesse :
Sur tes traits veloutés j'aime à boire tes pleurs ;
C'est l'ondée en avril qui roule sur les fleurs.

Que tes cheveux sont doux ! étends-les sur mes larmes,
Comme un voile doré sur un noir souvenir.
Embrassons-nous !... Sais-tu qu'il reste bien des charmes
A ce monde pour moi plein de ton avenir ?
Et le monde est en nous : demeure avec toi-même ;
L'oiseau pour ses concerts goûte un sauvage lieu ;
L'innocence a partout un confident qui l'aime.
Oh ! ne livre ta voix qu'à cet écho : c'est Dieu !

LES PLEURS (1833)

LE COUCHER D'UN PETIT GARÇON

Couchez-vous, petit Paul ! il pleut. C'est nuit : c'est l'heure.
Les loups sont au rempart. Le chien vient d'aboyer.
La cloche a dit : « Dormez ! » et l'ange gardien pleure,
Quand les enfants si tard font du bruit au foyer.

« Je ne veux pas toujours aller dormir ; et j'aime
A faire étinceler mon sabre au feu du soir ;
Et je tuerai les loups ! je les tuerai moi-même ! »
Et le petit méchant, tout nu, vint se rasseoir.

Où sommes-nous ? mon Dieu ! donnez-nous patience ;
Et surtout soyez Dieu ! soyez lent à punir ;
L'âme qui vient d'éclore a si peu de science !
Attendez sa raison, mon Dieu ! dans l'avenir.

L'oiseau qui brise l'œuf est moins près de la terre,
Il vous obéit mieux ; au coucher du soleil,
Un par un descendus dans l'arbre solitaire,
Sous le rideau qui tremble ils plongent leur sommeil.

Au colombier fermé nul pigeon ne roucoule ;
Sous le cygne endormi l'eau du lac bleu s'écoule,
Paul ! trois fois la couveuse a compté ses enfants,
Son aile les enferme ; et moi, je vous défends !

La lune qui s'enfuit, toute pâle et fâchée,
Dit : « Quel est cet enfant qui ne dort pas encor ? »
Sous son lit de nuage elle est déjà couchée ;
Au fond d'un cercle noir la voilà qui s'endort.

Le petit mendiant, perdu seul à cette heure,
Rôdant avec ses pieds las et froids, doux martyr !
Dans la rue isolée où sa misère pleure,
Mon Dieu ! qu'il aimerait un lit pour s'y blottir !

Et Paul, qui regardait encor sa belle épée,
Se coucha doucement en pliant ses habits ;
Et sa mère bientôt ne fut plus occupée
Qu'à baiser ses yeux clos par un ange assoupis !

LES PLEURS (1833)

L'ÉPHÉMÈRE

Frêle création de la fuyante aurore,
Ouvre-toi comme un prisme au soleil qui le dore ;
Va dire ta naissance au liseron d'un jour ;
Va ! tu n'as que le temps de deviner l'amour !

Et c'est mieux, c'est bien mieux que de le trop connaître ;
Mieux de ne pas survivre au jour qui le vit naître.
Happe sa douce amorce, et que ton aile, enfant,
Joue avec ce flambeau ! rien ne te le défend.
Né dans le feu, ton vol en cercles s'y déploie,
Et sème des anneaux de lumière et de joie.
Le fil de tes hasards est court, mais il est d'or !
Nul regret ne pendra lugubre sur ton sort ;
Nul adieu ne viendra gémir dans l'harmonie
De ton jour de musique et d'ivresse infinie ;
Ce que tu vas aimer durera tes instants ;
Tu ne verras le deuil ni les rides du temps.
Les feuillets de ton sort sont des feuilles de rose
Fiévreuse de soleil et d'encens, quel destin !
Atome délecté dans le miel qui l'arrose,
Sonne ta bienvenue au banquet du matin.

Je t'envie ! et Dieu t'aime, innocent éphémère.
Tu nais sans déchirer le beau flanc de ta mère ;
Ce penser triste et doux ne te fait point de pleurs :
Il ne t'impose pas comme un remords de vivre.
Tu n'as point à traîner ton cœur lourd comme un livre.
Heureux rien ! ta carrière est au bout de ces fleurs.
Bois ta vie à leur âme, et que ta prompte haleine
Goûte à tous les parfums dont s'abreuve la plaine.

Hâte-toi ! si le ciel commence à se couvrir,
Une goutte de pluie inondera tes ailes :
Avant d'avoir vécu, tu ne veux pas mourir,
Toi ! Les fleurs vont au soir : ne tombe qu'après elles.
Bonjour ! bonheur ! adieu ! Trois mots pour ton soleil.
Et pour nous, que de nuits jusqu'au dernier sommeil !
Le long vivre n'apprend que des fables railleuses.
Tristement recueillis sous nos ailes frileuses,
Nous épions l'espoir, qui n'ourdit qu'un regret :
Et l'espoir n'ouvre pas sa belle chrysalide ;
Et c'est un fruit coulé sous son écorce vide,
Et le vrai, c'est la mort ! — et j'attends son secret.

Oh ! ce sera la vie. Oh ! ce sera vous-même,
Rêve, à qui ma prière a tant dit : Je vous aime.
Ce sera, pleur par pleur, et tourment par tourment,
Des âmes en douleur le chaste enfantement !

LES PLEURS (1833)

UN NOUVEAU-NÉ

(*Extrait*)

Bien venu, mon enfant, mon jeune, mon doux hôte !
Depuis une heure au monde : oh ! que je t'attendais !
Que j'achetais ta vie ! hélas ! est-ce ta faute ?
Oh ! non, ce n'est pas toi qu'en pleurant je grondais.
Toi, ne souffrais-tu pas, même avant que de naître ?
Ne m'as-tu pas aidée enfin à nous connaître ?
Oui, tu souffrais aussi, petite ombre de moi,
Enfant né de ma vie où je reste pour toi !

Du jour, par mes regards je t'allumai la flamme ;
La nuit je descendais au fond de ta prison ;
Des mauvais souvenirs te sauvant le poison,
J'aurais voulu te faire un ciel de ma pauvre âme !
J'aurais voulu voir Dieu pour te créer plus beau ;
Pour imbiber ton cœur de sa grâce profonde
Et pour faire couler un peu de son flambeau
Sur ta raison aveugle à ton entrée au monde !

Ne vas pas l'oublier : je t'ai parlé de Dieu ;
Je t'ai fait de prière, enfant ! de tendres larmes ;
J'ai formé ton oreille aux échos du saint lieu ;
Je t'ai caché vivant à toutes nos alarmes,
Et j'allais au soleil couchant sécher mes pleurs,
Pour te rendre suave et pur comme les fleurs ;
Ou dans les roseaux verts je t'emportais pensive,
Pour t'abreuver du bruit de quelque source vive,
Qui m'ouvrant son cristal comme à l'oiseau plongeur,
Sur notre double fièvre épanchait sa fraîcheur.

Souviens-toi que souvent, seuls au fond d'une église,
Nous regardions longtemps les anges aux fronts blancs
Que je t'y promenais invisible, à pas lents,
Modelant leurs beaux traits sur ta forme indécise ;
J'ai bien fait ! nul enfant n'a rapporté des cieux
Tant de ciel inondant sa profonde paupière,
Et l'on n'a vu jamais, d'un front si gracieux,
Jaillir tant de rayons de vie et de lumière.
Qu'un si petit visage enferme de portraits !
De tout ce que j'aimai tu m'offres quelques traits :
Que d'anges envolés sans pouvoir les décrire,
Dans ton sourire errant reviennent me sourire !

Et je l'avais prédit, quand je sentais ton cœur
Eclore et battre faible à mon flanc créateur !

Quand mes heures veillaient autour de ta défense,
Dans mon humble abandon qui m'eut fait une offense !
Tout, c'était toi ! Mes yeux enfermés sous ma main,
N'ont appelé personne en ce monde inhumain,
Personne ! pour calmer, pour soutenir ma tête,
Et dérober mon fruit au vent de la tempête :
Oh ! mais : lorsqu'en ton nom je regardais les cieux,
Ton sourire passait dans les pleurs de mes yeux,
Dieu se montrait au loin sous cette ondée amère ;
Dieu, dans ma pauvreté me laissait être mère ;
Et j'envoyais à Dieu mes baisers ou mes cris,
Les doux cris d'une femme à qui Dieu donne un fils.

Ton berceau, vide encor, peuplait ma solitude ;
Un ange y respirait par moi sa nuit, son jour ;
J'y couvais son destin ; j'en étais le séjour !...
On ne meurt pas d'orgueil et de sollicitude !

Aussi j'ai cru tomber faible sur mes genoux
Quand on me leva seule et comme trop légère,
Cherchant le poids aimé d'une tête si chère ;
Car si près que tu sois l'air circule entre nous,
Adieu !... je ne suis plus l'heureuse chrysalide,
Où l'âme de mon âme a palpité neuf mois ;
Mais à ta frêle fleur si j'ai servi d'égide,
Homme un jour, reviens-y t'appuyer quelquefois.
Je suis ta mère : un nœud nous a tenus ensemble ;
C'est l'aimant divisé que l'aimant cherchera ;
La terre ne rompt pas ce que le ciel assemble :
Sous la vie, hors la vie, il nous réunira !
Des femmes me l'ont dit : oui ! la femme étonnée,
Quitte d'un doux fardeau vacille consternée ;
Nous n'osons pas le dire et nous pleurons tout bas :
Que de larmes l'enfant coûte à la mère ! hélas,

D'hier nous sommes deux ! Le souffle de ta bouche
Se mêle à chaque souffle étranger qui te touche,
Et je pleure et... pardon ! mon jeune bien-venu !
Au monde pour moi seul et du monde inconnu !

. . . .

Qu'il te doive toujours, sauveur né d'une femme,
Quelque songe d'en haut pour bercer sa jeune âme !

Toi, cher petit dormeur, notre monde te plaît :
Ton âme est toute blanche et n'a bu que du lait !
Depuis si peu d'instants descendu sur la terre,
Tes yeux nagent encor dans un divin mystère ;
Tu revois la maison d'où tu viens, ton beau ciel,
Et ton baiser qui s'ouvre en a gardé du miel !

PAUVRES FLEURS (1839)

MA FILLE

C'est beau la vie
Belle par toi,
De toi suivie
Toi devant moi !
C'est beau, ma fille,
Ce coin d'azur,
Qui rit et brille,
Sous ton front pur !

C'est beau ton âge,
D'ange et d'enfant,
Voile, ou nuage
Qui te défend

Des folles âmes,
Qui font souffrir ;
Des tristes flammes,
Qui font mourir.

Dieu fit tes charmes ;
Dieu veut ton cœur ;
Tes jours sans larmes,
Tes nuits sans peur :
Mon jeune lierre,
Monte après moi !
Dans ta prière,
Enferme-toi ;

C'est beau, petite,
L'humble chemin,
Où je ne quitte
Jamais ta main :
Car dans l'espace,
Aux prosternés
Une voix passe,
Qui dit : « venez ! »

Tout mal sommeille
Pour ta candeur ;
Tu n'as d'oreille,
Que dans ton cœur :
Quel temps ? quelle heure ?
Tu n'en sais rien :
Mais que je pleure ;
Tu l'entends bien !

PAUVRES FLEURS (1839)

L'ENFANT GREC

AU TOMBEAU DE BOTZARIS

(Statue de David)

Ce gracieux enfant, cette innocence nue
Qui se prend à rêver au marbre d'un tombeau,
Que je l'aime à genoux, curieuse ingénue,
Epelant un feuillet si profond et si beau !

Elle éveille la mort sous sa fraîche prière ;
Sa douleur juvénile est sans cris et sans pleurs :
L'éternité, jeune âme ! arrosera tes fleurs,
Car, David avec toi les sema sur la pierre !

PAUVRES FLEURS (1839)

PRIÈRE POUR MON AMIE

(*Extrait*)

....

Un enfant ! un enfant ! ô seule âme de l'âme !
Palme pure attachée au malheur d'être femme !
Eloquent défenseur de notre humilité !
Fruit chaste et glorieux de la maternité,
Qui d'une langue impie assainit la morsure,
Et de l'amour trahi ferme enfin la blessure !
Image de Jésus qui se penche vers nous,
Pour relever sa mère humble et née à genoux ;
Dont la débile main, par la grâce étendue,

Rouvre parfois le ciel à la vierge perdue ;
Un enfant ! souffle d'ange épurant le remord !
Refuge dans la vie, asile dans la mort !
De la foi des époux sentinelle sans armes !
Rayonnement divin qui passe entre leurs larmes !
Fleur du toit, qui ravive et retient le bonheur !
Visible battement de deux cœurs dans un cœur !

Elle n'a plus d'enfant, sa tendresse est déserte ;
Plus un rameau qui rit, plus une plante verte,
Plus rien. Les seules fleurs qui s'ouvrent sous ses pas
Croissent où les vivants ne les dérobent pas.

....

BOUQUETS ET PRIÈRES (1843)

A MON FILS

après l'avoir conduit au collège

(*Extrait*)

Dire qu'il faut ainsi se déchirer soi-même,
Leur porter son enfant, seule vie où l'on s'aime,
Seul miroir de ce temps où les yeux sont pleins d'or,
Où le ciel est en nous sans un nuage encor ;
Son enfant ! dont la voix nouvelle et reconnue,
Nous dit : « Je suis ta voix fraîchement revenue. »
Son enfant ! Ce portrait, cette âme, cette voix,
Qui passe devant nous comme on fut une fois ;
Quand on pense qu'il faut s'en détacher vivante.
Lui choisir une cage inconnue et savante,
Le conduire à la porte et dire : « Le voilà !
Prenez, moi je m'en vais... » — C'est Dieu qui veut cela !

Croyez-vous ? Dieu veut donc que noyée en ma peine
Comme cette Madone assise à la fontaine,
Cachée en un vieux saule aux longs cheveux mouillés,
Ne pouvant plus mouvoir mes pieds las et souillés,
Je pleure, et d'un sanglot croyant troubler le monde,
J'appelle mon enfant pour que Dieu me réponde !
Mais la porte est déjà fermée à mon malheur,
Et tout dit à la femme : « Allez à la douleur ! »

. . . .

POÉSIES INÉDITES (1860)

ONDINE A L'ÉCOLE

(Extrait)

Vous entriez, Ondine, à cette porte étroite,
Quand vous étiez petite, et vous vous teniez droite ;
Et quelque long carton sous votre bras passé
Vous donnait on ne sait quel air grave et sensé
Qui vous rendait charmante. Aussi, votre maîtresse
Vous regardait venir, et fière avec tendresse,
Opposant votre calme aux rires triomphants,
Vous montrait pour exemple à son peuple d'enfants ;
Et du nid studieux l'harmonie argentine
Poussait à votre vue : « Ondine ! Ondine ! Ondine ! »
Car vous teniez déjà votre palme à la main,
Et l'ange du savoir hantait votre chemin.

Moi, penchée au balcon qui surmontait la rue,
Comme une sentinelle à son heure accourue,
Je poursuivais des yeux mon mobile trésor,
Et disparue enfin je vous voyais encor.

Vous entraîniez mon âme avec vous, fille aimée,
Et je vous embrassais par la porte fermée.
Quel temps ! De tous ces jours d'école et de soleil
Qui hâtaient la pensée à votre front vermeil,
De ces flots de peinture et de grâce inspirée,
L'âme sort-elle heureuse, ô ma douce lettrée ?
Dites, si quelque femme avec votre candeur
En passant par la gloire est allée au bonheur ?...

Oh ! que vous me manquiez, jeune âme de mon âme !
Quel effroi de sentir s'éloigner une flamme
Que j'avais mise au monde, et qui venait de moi,
Et qui s'en allait seule : Ondine ! quel effroi !

. . . .

POÉSIES INÉDITES (1860)

INÈS

Je ne dis rien de toi, toi, la plus enfermée,
Toi, la plus douloureuse, et non la moins aimée !
Toi, rentrée en mon sein, je ne dis rien de toi
Qui souffres, qui te plains, et qui meurs avec moi !

Le sais-tu maintenant, ô jalouse adorée,
Ce que je te vouais de tendresse ignorée ?
Connais-tu maintenant, me l'ayant emporté,
Mon cœur qui bat si triste et pleure à ton côté ?

POÉSIES INÉDITES (1860)

AMOUR PARTOUT

à Inès

T'es ma fille ! T'es ma poule !
T'es le petit cœur qui roule
Tout à l'entour de mon cœur !
T'es le p'tit Jésus d'ta mère !
Tiens ! gnia pas d'souffrance amère
Que ma fill' n'en soit l'vainqueur.

Gnia pas à dir, faut qu'tu manges.
Quoiqu' tu vienn's d'avec les anges,
Faut manger pour bien grandir.
Mon enfant, j't'aim' tant qu'ça m'lasse
C'est comme un' cord' qui m'enlace,
Qu' ça finit par m'étourdir.

Qué qu'ça m'fait si m' manqu' qeuqu'chose,
Quand j'vois ton p'tit nez tout rose,
Tes dents blanch's comm' des jasmins ;
J'prends tes yeux pour mes étoiles,
Et quand j'te sors de tes toiles
J'tiens l'bon Dieu dans mes deux mains.

T'es ma fille ! T'es ma poule !
T'es le petit cœur qui roule
Tout à l'entour de mon cœur !
T'es le p'tit Jésus d'ta mère !
Tiens ! gnia pas d'souffrance amère
Que ma fill' n'en soit l'vainqueur !

ALBUMS A PAULINE (1922)

AMITIÉ

A MADAME SOPHIE GAY

(*Extrait*)

Vous dont la voix absente enhardit mon courage,
Vous, qui m'avez cherchée en mon obscur séjour,
Dont le désir charmant de me faire un beau jour
A ralenti d'un jour le rapide voyage ;
Sophie, éprouvez-vous ce tendre étonnement
Qui naît d'une amitié nouvelle ?
Votre cœur, moins distrait, sent-il en ce moment
Qu'un cœur de plus vous nomme et vous appelle ?
De mes regrets nouveaux sentez-vous la moitié ?
Ceux qui vous oppressaient remplissent ma mémoire.
Hélas ! en m'apprenant qu'il n'est plus d'amitié,
D'où vient que vous m'y faisiez croire ?
C'est que vos doux regards étaient fixés sur moi,
C'est que l'amitié même y versait tant de flamme,
Qu'en y voyant briller quelques pleurs et votre âme,
En m'effrayant un peu vous rengagiez ma foi.
Qui se croirait heureuse et se dirait aimée,
Si vous ne l'étiez pas ?
Si quelque âme volage et désaccoutumée
Oubliait de chercher son bonheur sur vos pas,
Soyez lente à le croire ; apprenez de moi-même
Qu'on ne change plus quand on aime.

Ces bords où vos ennuis cherchaient un ciel plus doux,
Ce fleuve enorgueilli d'avoir porté Delphine,
L'écho qui dit encor sa voix jeune et divine,
Ici, tout me ressemble et tout parle de vous.

....

ÉLÉGIES ET POÉSIES NOUVELLES (1825)

LES DEUX PEUPLIERS

Sous les mêmes zéphyrs, sous les mêmes orages,
Beaux arbres, vous ouvrez, vous répandez vos fleurs.
Attirés vers le ciel, vos pudiques ombrages
Voilent votre amitié sous les mêmes couleurs.
L'hiver aux longs instants, le frimas vous protège ;
Il épure vos jours par d'utiles rigueurs.
Enveloppés tous deux sous un manteau de neige,
La sève qui vous joint se retire à vos cœurs.
Vos rameaux frémissants ne forment qu'un murmure ;
Mariés dans la terre, en vos nœuds adorés
Vous vivez l'un par l'autre ; et sous la même armure,
Un jour, si l'on vous frappe, ensemble vous mourrez !

Et moi, j'aurais voulu... Mais toujours impossibles,
Nous jetons vers le ciel des vœux qu'il n'entend pas :
Le ciel nous a formés mobiles et sensibles,
Et le sol le plus doux n'enchaîne point nos pas.

POÉSIES (1830)

LE MAL DU PAYS

Je veux aller mourir aux lieux où je suis née :
Le tombeau d'Albertine est près de mon berceau ;
Je veux aller trouver son ombre abandonnée ;
Je veux un même lit près du même ruisseau.

Je veux dormir. J'ai soif de sommeil, d'innocence,
D'amour ! d'un long silence écouté sans effroi,
De l'air pur qui soufflait au jour de ma naissance,
Doux pour l'enfant du pauvre et pour l'enfant du roi.

J'ai soif d'un frais oubli, d'une voix qui pardonne.
Qu'on me rende Albertine ! elle avait cette voix
Qu'un souvenir du ciel à quelques femmes donne ;
Elle a béni mon nom... autre part... autrefois !

Autrefois !... qu'il est loin le jour de son baptême !
Nous entrâmes au monde un jour qu'il était beau :
Le sel qui l'ondoya fut dissous sur moi-même,
Et le prêtre pour nous n'alluma qu'un flambeau.

D'où vient-on quand on frappe aux portes de la terre ?
Sans clarté dans la vie, où s'adressent nos pas ?
Inconnus aux mortels qui nous tendent les bras,
Pleurants, comme effrayés d'un sort involontaire.

Où va-t-on quand, lassé d'un chemin sans bonheur,
On tourne vers le ciel un regard chargé d'ombre ?
Quand on ferme sur nous l'autre porte, si sombre !
Et qu'un ami n'a plus que nos traits dans son cœur ?

Ah ! quand je descendrai rapide, palpitante,
L'invisible sentier qu'on ne remonte pas,
Reconnaîtrai-je enfin la seule âme constante
Qui m'aimait imparfaite et me grondait si bas ?

Te verrai-je, Albertine ! Ombre jeune et craintive ;
Jeune, tu t'envolas peureuse des autans :
Dénouant pour mourir ta robe de printemps,
Tu dis : « Semez ces fleurs sur ma cendre captive. »

Oui ! je reconnaîtrai tes traits pâles, charmants,
Miroir de la pitié qui marchait sur tes traces,
Qui pleurait dans ta voix, angélisait tes grâces,
Et qui s'enveloppait dans tes doux vêtements !

Oui, tu ne m'es qu'absente, et la mort n'est qu'un voile,
Albertine ! et tu sais l'autre vie avant moi.
Un jour, j'ai vu ton âme aux feux blancs d'une étoile ;
Elle a baisé mon front, et j'ai dit :« C'est donc toi ! »

Viens encore, viens ! j'ai tant de choses à te dire !
Ce qu'on t'a fait souffrir, je le sais ! j'ai souffert.
O ma plus que sœur, viens ! ce que je n'ose écrire,
Viens le voir palpiter dans mon cœur entrouvert !

LES PLEURS (1833)

A M. ALPHONSE DE LAMARTINE

(*Extrait*)

....

Jamais, dans son errante alarme,
La Péri, pour porter aux cieux,
Ne puisa de plus humble larme
Que le pleur plein d'un triste charme
Dont tes chants ont mouillé mes yeux !

Mais dans ces chants que ma mémoire
Et mon cœur s'apprennent tout bas,
Doux à lire, plus doux à croire,
Oh ! n'as-tu pas dit le mot gloire ?
Et ce mot, je ne l'entends pas.

Car je suis une faible femme ;
Je n'ai su qu'aimer et souffrir ;
Ma pauvre lyre, c'est mon âme,
Et toi seul découvres la flamme
D'une lampe qui va mourir.

Devant tes hymnes de poète,
D'ange, hélas ! et d'homme à la fois,
Cette lyre inculte, incomplète,
Longtemps détendue et muette,
Ose à peine prendre une voix.

Je suis l'indigente glaneuse
Qui d'un peu d'épis oubliés
A paré sa gerbe épineuse,
Quand ta charité lumineuse
Verse du blé pur à mes pieds.

Oui ! toi seul auras dit : — Vit-elle ? —
Tant mon nom est mort avant moi !
Et sur ma tombe, l'hirondelle
Frappera seule d'un coup d'aile
L'air harmonieux comme toi.

Mais toi ! dont la gloire est entière
Sous sa belle égide de fleurs,
Poète ! au bord de ta paupière,
Dis vrai, sa puissante lumière
A-t-elle arrêté bien des pleurs ?

LES PLEURS (1833)

A PAULINE DUCHAMBGE

(*Extrait*)

En ce temps-là je montais dans ta chambre,
Causer une heure et pleurer et chanter ;
Car nous chantions pour étourdir décembre :
Et puis nos pleurs coulaient de nous quitter.

Je te cherchais comme par la campagne,
Quelque hirondelle échappée aux autans,
Monte rapide au toit d'une compagne,
Lui raconter ses secrets palpitants.

Tout ce qui tient dans un sort d'hirondelle :
L'orage en haut. La moisson sans chaleur.
Un nid qui tombe. Un message infidèle.
Un rendez-vous brisé par l'oiseleur.

Nous disions tout l'une à l'autre sincère ;
Larme pour larme et le cœur dans le cœur.
Si le bonheur est de croire, ô ma chère,
Qu'un toit si simple abrita de bonheur !

Et d'où venaient nos plaintes racontées ;
Nos chants furtifs entravés de longs pleurs ;
Nos peurs d'enfant gravement écoutées ?
C'est que notre âge avait toutes ses fleurs !

Qui regardait sous mon aile blessée,
Le dard... celui qui me fait mal encor :
Qui, doucement essuyait ma pensée,
Du rêve amer qui fait aimer la mort ?

Comme aujourd'hui, c'était toi, mon autre âme,
Lueur vivante éclairant mon chemin ;
Ange gardien sous ton voile de femme
A qui Dieu dit : « Tenez-la par la main ! »

....

PAUVRES FLEURS (1839)

LES ROSES DE SAADI

J'ai voulu, ce matin, te rapporter des roses ;
Mais j'en avais tant pris dans mes ceintures closes
Que les nœuds trop serrés n'ont pu les contenir.

Les nœuds ont éclaté. Les roses envolées
Dans le vent, à la mer s'en sont toutes allées.
Elles ont suivi l'eau pour ne plus revenir.

La vague en a paru rouge et comme enflammée :
Ce soir ma robe encore en est tout embaumée...
Respires-en sur moi l'odorant souvenir.

POÉSIES INÉDITES (1860)

LA ROSE FLAMANDE

C'est là que j'ai vu Rose Dassonville,
Ce mouvant miroir d'une rose au vent.
Quand ses doux printemps erraient par la ville,
Ils embaumaient l'air libre et triomphant.

Et chacun disait en perçant la foule :
« Quoi ! belle à ce point ?... Je veux voir aussi... »
Et l'enfant passait comme l'eau qui coule
Sans se demander : « Qui voit-on ici ? »

Un souffle effeuilla Rose Dassonville.
Son logis cessa de fleurir la ville,
Et, triste aujourd'hui comme le voilà,
    C'est là !

POÉSIES INÉDITES (1860)

L'AMIE

Quand mon ombre au soleil tremble seule et s'incline,
Quand je cherche des pas à l'entour de mes pas,
Quand j'écoute attentive, et que je dis tout bas :
« Personne ! » une jeune ombre éternelle, divine,
Se lève et me répond : « Me voici, Marceline ! »

« Ne dis jamais : personne ! ou l'abandon te prend.
Si tu montes vers Dieu, je suis sur la colline ;
Si tu descends en pleurs, je descends en pleurant. »
— Et mon âme s'écrie : « Oh ! bonsoir, Albertine ! »

POÉSIES INÉDITES (1860)

L'AMOUR DES HUMAINS

AFFLICTION

(*Extrait*)

S'en aller à travers des pleurs et des sourires,
Achever par le monde un sort amer et pur ;
User sa robe blanche, et pour une d'azur,
En laisser les lambeaux aux ronces des martyres,
C'est ma vie. Un roseau semble plus fort que moi ;
Je ne m'appuie à rien que je ne tombe à terre :
Et je chante pourtant l'ineffable mystère,
Qui de mon cœur trahi fait un cœur plein de foi !
D'où vient donc que ce jour surpasse la tristesse,
De tous les jours tombés hors de ma vie ? eh ! quoi,
Sur mes heures que pousse une immobile loi,
Le pied du temps bondit de la même vitesse ;
D'où vient donc que j'étouffe au sein de l'univers ?
Ah ! c'est qu'ils m'ont blessée au milieu de la foule ;
Du grand arbre agité, feuille que le vent roule,
Ils ont soufflé loin d'eux mes mobiles revers.

....

Vraiment ! le pardon calme à défaut d'espérance ;
Il détend la colère ; on pleure, on apprend Dieu ;
Dieu triste ! comme nous voyageur en ce lieu,
Et l'on courbe sa vie au pied de sa souffrance.

Ceux qui m'ont affligée en leurs dédains jaloux,
Ceux qui m'ont fait descendre et marcher dans l'orage,
Ceux qui m'ont pris ma part de soleil et d'ombrage,
Ceux qui sous mes pieds nus ont jeté leurs cailloux ;
N'ont-ils pas leurs ennuis, leurs jaloux, leurs alarmes,
Leurs pleurs, pour expier ce qu'ils m'ont fait de larmes ?
Quoi donc ? aux durs sentiers qu'on a tous à courir,
Seigneur ! ne faut-il pas mourir et voir mourir !
N'est-ce pas au tombeau que cheminent leurs peines,
Leurs enfants, leurs amours qui rachètent leurs haines ?
Oh ! qui peut se venger ? oh ! par votre abandon,
Seigneur ! par votre croix dont j'ai suivi la trace,
Par ceux qui m'ont laissé la voix pour crier grâce :
Pardon pour eux ! pour moi ! pour tous ! pardon ! pardon !

PAUVRES FLEURS (1839)

A MONSIEUR A. L.

(*Extrait*)

....

Quand le sang inondait cette ville éperdue,
Quand la bombe et le plomb balayant chaque rue,
Excitaient les sanglots des tocsins effrayés,
Quand le rouge incendie aux longs bras déployés,
Etreignait dans ses nœuds les enfants et les pères,
Refoulés sous leurs toits par les feux militaires,
J'étais là ! quand brisant les caveaux ébranlés,
Pressant d'un pied cruel les combles écroulés,
La mort disciplinée et savante au carnage,
Etouffait lâchement le vieillard, le jeune âge,

Et la mère en douleurs près d'un vierge berceau,
Dont les flancs refermés se changeaient en tombeau,
J'étais là : J'écoutais mourir la ville en flammes ;
J'assistais vive et morte au départ de ces âmes,
Que le plomb déchirait et séparait des corps,
Fête affreuse où tintaient de funèbres accords :
Les clochers haletants, les tambours et les balles ;
Les derniers cris du sang répandu sur les dalles ;
C'était hideux à voir : et toutefois mes yeux
Se collaient à la vitre et cherchaient par les cieux,
Si quelque âme visible en quittant sa demeure,
Planait sanglante encor sur ce monde qui pleure ;
J'écoutais si mon nom, vibrant dans quelque adieu,
N'excitait point ma vie à se sauver vers Dieu :
Mais le nid qui pleurait ! mais le soldat farouche,
Ilote, outrepassant son horrible devoir,
Tuant jusqu'à l'enfant qui regardait sans voir,
Et rougissant le lait encor chaud dans sa bouche...
Oh ! devinez pourquoi dans ces jours étouffants,
J'ai retenu mon vol aux cris de mes enfants :
Devinez ! devinez dans cette horreur suprême,
Pourquoi, libre de fuir sous le brûlant baptême,
Mon âme qui pliait dans mon corps à genoux,
Brava toutes ces morts qu'on inventait pour nous !

Savez-vous que c'est grand tout un peuple qui crie !
Savez-vous que c'est triste une ville meurtrie,
Appelant de ses sœurs la lointaine pitié,
Et cousant au linceul sa livide moitié,
Ecrasée au galop de la guerre civile !
Savez-vous que c'est froid le linceul d'une ville !
Et qu'en nous revoyant debout sur quelques seuils
Nous n'avions plus d'accents pour lamenter nos deuils !

Ecoutez, toutefois, le gracieux prodige,
Qui me parla de Dieu dans l'inhumain vertige ;
Ecoutez ce qui reste en moi d'un chant perdu,
Succédant d'heure en heure au canon suspendu :

Lorsqu'après de longs bruits un lugubre silence,
Offrant de Pompéi la morne ressemblance,
Immobilisait l'âme aux bonds irrésolus ;
Quand Lyon semblait morte et ne respirait plus ;

Je ne sais à quel arbre, à quel mur solitaire,
Un rossignol caché, libre entre ciel et terre,
Prenant cette stupeur pour le calme d'un bois,
Exhalait sur la mort son innocente voix !

Je l'entendis sept jours au fond de ma prière ;
Seul *requiem* chanté sur le grand cimetière :
Puis, la bombe troua le mur mélodieux,
Et l'hymne épouvantée alla finir aux cieux !

Depuis, j'ai renfermé comme en leur chrysalide,
Mes ailes, qu'au départ il faut étendre encor,
Et l'oreille inclinée à votre hymne limpide,
Je laisse aller mon âme en ce plaintif accord.

Lyon, 1834

PAUVRES FLEURS (1839)

ADOLPHE NOURRIT

A LYON
Après la guerre civile

(*Extrait*)

. . . .

Et cette belle image, indécise, inconstante,
Qui dit : « Je ris... je souffre !... et je doute... et je crois ! »
Des peuples en douleur est-ce l'ombre flottante,
Qui tourne alentour de la croix ?

. . . .

PAUVRES FLEURS (1839)

CANTIQUE DES MÈRES

(*Extrait*)

Reine pieuse aux flancs de mère,
Ecoutez la supplique amère,
Des veuves aux rares deniers,
Dont les fils sont vos prisonniers :
Si vous voulez que Dieu vous aime
Et pardonne au geôlier lui-même,
Priez d'un salutaire effroi
Pour tous les prisonniers du roi !

. . . .

Comme Esther s'est agenouillée,
Et saintement humiliée
Entre le peuple et le bourreau,

Rappelez le glaive au fourreau ;
Vos soldats vont la tête basse,
Le sang est lourd, la haine lasse :
Priez d'un courageux effroi,
Pour tous les prisonniers du roi !

....

Reine ! qui dites vos prières,
Femme ! dont les chastes paupières,
Savent lire au livre de Dieu ;
Par les maux qu'il lit en ce lieu,
Par la croix qui saigne et pardonne,
Par le haut pouvoir qu'il vous donne :
Reine ! priez d'un humble effroi,
Pour tous les prisonniers du roi !

....

Lyon, 1834

PAUVRES FLEURS (1839)

LES PRISONS ET LES PRIÈRES

Pleurez : comptez les noms des bannis de la France ;
L'air manque à ces grands cœurs où brûle tant d'espoir.
Jetez la palme en deuil, au pied de leur souffrance ;
Et passons : les geôliers seuls ont droit de les voir !
Passons : nos bras pieux sont sans force et sans armes ;
Nous n'allons point traînant de fratricides vœux ;
Mais, femmes, nous portons la prière et les larmes,
Et Dieu, le Dieu du peuple en demande pour eux.
Voyez vers la prison glisser de saintes âmes ;
Salut ! vous qui cachez vos ailes ici-bas ;
Sous vos manteaux mouillés et vos pâleurs de femmes,
Que de cendre et de boue ont entravé vos pas !

Salut ! vos yeux divins rougis de larmes vives
Reviennent se noyer dans ce monde étouffant ;
Vous errez, comme alors, au Jardin des Olives ;
Car le Christ est en peine et Judas triomphant.
Oui, le Christ est en peine ; il prévoit tant de crimes !
Lui dont les bras cloués ont brisé tant de fers !
Il revoit dans son sang nager tant de victimes,
Qu'il veut mourir encor pour fermer les enfers !
Courez, doux orphelins, montez dans la balance ;
Priez pour les méchants qui vivent sans remords ;
Rachetez les forfaits des pleurs de l'innocence,
Et dans un flot amer lavez nos pauvres morts !
Et nous, n'envoyons plus à des guerres impies
Nos fils adolescents et nos drapeaux vainqueurs ;
Avons-nous amassé nos pieuses charpies
Pour les baigner du sang le plus pur de nos cœurs ?
Pitié ! nous n'avons plus le temps des longues haines :
La haine est basse et sombre ; il fait jour ! il fait jour !
O France ! il faut aimer, il faut rompre des chaînes,
Ton Dieu, le Dieu du peuple a tant besoin d'amour !

POÉSIES INÉDITES (1860)

DANS LA RUE (1)
par un jour funèbre de Lyon

LA FEMME

Nous n'avons plus d'argent pour enterrer nos morts.
Le prêtre est là, marquant le prix des funérailles ;
Et les corps étendus, troués par les mitrailles,
Attendent un linceul, une croix, un remords.

---

(1) Poème publié pour la première fois par Sainte-Beuve dans *Mme D.-V.*

Le meurtre se fait roi. Le vainqueur siffle et passe.
Où va-t-il ? Au Trésor, toucher le prix du sang.
Il en a bien versé... mais sa main n'est pas lasse ;
Elle a, sans le combattre, égorgé le passant.

Dieu l'a vu. Dieu cueillait comme des fleurs froissées
Les femmes, les enfants qui s'envolaient aux cieux.
Les hommes... les voilà dans le sang jusqu'aux yeux.
L'air n'a pu balayer tant d'âmes courroucées.

Elles ne veulent pas quitter leurs membres morts.
Le prêtre est là, marquant le prix des funérailles ;
Et les corps étendus, troués par les mitrailles,
Attendent un linceul, une croix, un remords.

Les vivants n'osent plus se hasarder à vivre.
Sentinelle soldée, au milieu du chemin,
La mort est un soldat qui vise et qui délivre
Le témoin révolté qui parlerait demain...

DES FEMMES

Prenons nos rubans noirs, pleurons toutes nos larmes ;
On nous a défendu d'emporter nos meurtris :
Ils n'ont fait qu'un monceau de leurs pâles débris :
Dieu ! bénissez-les tous ; ils étaient tous sans armes !

Lyon, 4 *avril* 1834

PRIÈRE

Ne me fais pas mourir sous les glaces de l'âge,
Toi qui formas mon cœur du feu pur de l'amour ;
Rappelle ton enfant du milieu de l'orage.
Dieu ! j'ai peur de la nuit. Que je m'envole au jour !

Après ce que j'aimai je ne veux pas m'éteindre ;
Je ne veux pas mourir dans le deuil de sa mort :
Que son souffle me cherche, attaché sur mon sort,
    Et défende au froid de m'atteindre.
Laisse alors s'embrasser dans leur étonnement,
Et pour l'éternité, deux innocentes flammes.
Hélas ! n'en mis-tu pas le doux pressentiment
Dans le fond d'un baiser où s'attendaient nos âmes.

POÉSIES (1830)

LUCRETIA DAVIDSON

(*Extrait*)

. . . .

Ne demandais-tu pas ce repos virginal ?
Sur ta tombe innocente un oiseau matinal

Ne va-t-il pas verser quelque suave plainte,
Douce comme ta voix, ta douce voix éteinte ?
La rosée, en tombant de ton jeune cyprès,
Ne baigne-t-elle pas ton sommeil calme et frais ?
Dis ! ne souris-tu pas quand ta rêveuse étoile,
Le soir, dans ses rayons humides et flottants
Glisse un chaste baiser sous la pudique toile,
Où le ciel, qui t'aimait, plongea tes beaux printemps !
....

LES PLEURS (1833)

SOLITUDE

Abîme à franchir seule où personne, oh ! personne
Ne touchera ma main froide à tous après toi :
Seulement à ma porte où quelquefois Dieu sonne,
Le pauvre verra, lui, que je suis encor moi,

Si je vis ! Puis un soir, ton essor plus paisible,
S'abattra sur mon cœur immobile, brisé
Par toi ; mais tiède encore d'avoir été sensible
Et vainement désabusé !

PAUVRES FLEURS (1839)

LE NID SOLITAIRE

Va, mon âme, au-dessus de la foule qui passe,
Ainsi qu'un libre oiseau te baigner dans l'espace.
Va voir ! et ne reviens qu'après avoir touché
Le rêve... mon beau rêve à la terre caché.

Moi, je veux du silence, il y va de ma vie ;
Et je m'enferme où rien, plus rien ne m'a suivie ;
Et de mon nid étroit d'où nul sanglot ne sort,
J'entends courir le siècle à côté de mon sort.

Le siècle qui s'enfuit grondant devant nos portes,
Entraînant dans son cours comme des algues mortes
Les noms ensanglantés, les vœux, les vains serments,
Les bouquets purs, noués de noms doux et charmants.

Va, mon âme, au-dessus de la foule qui passe,
Ainsi qu'un libre oiseau te baigner dans l'espace.
Va voir ! et ne reviens qu'après avoir touché
Le rêve... mon beau rêve à la terre caché !

POÉSIES INÉDITES (1860)

TRISTESSE

(*Extrait*)

....

Adieu, sourire , adieu jusque dans l'autre vie,
Si l'âme, du passé n'y peut être suivie ;
Mais si de la mémoire on ne doit pas guérir,
A quoi sert, ô mon âme, à quoi sert de mourir !

POÉSIES INÉDITES (1860)

REFUGE

Il est du moins au-dessus de la terre
Un champ d'asile où monte la douleur ;
J'y vais puiser un peu d'eau salutaire
Qui du passé rafraîchit la couleur.

Là seulement ma mère encor vivante
Sans me gronder me console et m'endort ;
O douce nuit, je suis votre servante :
Dans votre empire on aime donc encor !

Non, tout n'est pas orage dans l'orage ;
Entre ses coups, pour desserrer le cœur,
Souffle une brise, invisible courage,
Parfum errant de l'éternelle fleur !
Puis c'est de l'âme une halte fervente,
Un chant qui passe, un enfant qui s'endort.
Orage, allez ! je suis votre servante :
Sous vos éclairs, Dieu me regarde encor !

Béni soit Dieu puisqu'après la tourmente,
Réalisant nos rêves éperdus,
Vient des humains l'infatigable amante
Pour démêler les fuseaux confondus !
Fidèle mort ! Si simple, si savante !
Si favorable au souffrant qui s'endort !
Me cherchez-vous ? Je suis votre servante :
Dans vos bras nus l'âme est plus libre encor !

POÉSIES INÉDITES (1860)

LE SOLEIL LOINTAIN

(*Extrait*)

....

« Vos sanglots se perdront dans de longs cris de joie,
Quand vous verrez la mort
Bercer aux pieds de Dieu son innocente proie,
Comme un agneau qui dort.

« La mort, qui reprend tout, sauve tout sous ses ailes,
Sa nuit couve le jour.
Elle délivre l'âme, et les âmes entre elles
Savent que c'est l'amour ! »

....

POÉSIES INÉDITES (1860)

MADAME ÉMILE DE GIRARDIN

(*Extrait*)

La mort vient de frapper les plus beaux yeux du monde.
Nous ne les verrons plus qu'en saluant les cieux.
Oui, c'est aux cieux, déjà ! que leur grâce profonde
Comme un aimant d'espoir semble attirer nos yeux.

Belle étoile aux longs cils qui regardez la terre,
N'êtes-vous pas Delphine enlevée aux flambeaux,
Ardente à soulever le splendide mystère
Pour nous illuminer dans nos bruyants tombeaux ?

....

Elle meurt ! presque reine, hélas, et presque heureuse,
Colombe aux plumes d'or, femme aux tendres douleurs ;
Elle meurt tout à coup d'elle-même peureuse,
Et, douce, elle s'enferme au linceul de ses fleurs.

....

POÉSIES INÉDITES (1860)

AU CHRIST

Que je vous crains ! que je vous aime !
Que mon cœur est triste et navré !
Seigneur ! suis-je un peu de vous-même,
Tombé de votre diadème :
Ou, suis-je un pauvre ange égaré ?

Du sable où coulèrent vos larmes,
Mon âme jaillit-elle un jour ?
Tout ce que j'aime a-t-il des armes,
Pour me faire trouver des charmes
Dans la mort, que but votre amour ?

Seigneur ! parlez-moi, je vous prie !
Je suis seule sans votre voix ;
Oiseau sans ailes, sans patrie,
Sur la terre dure et flétrie,
Je marche et je tombe à la fois !

Fleur d'orage et de pleurs mouillée,
Exhalant sa mourante odeur,
Au pied de la croix effeuillée,
Seigneur, ma vie agenouillée
Veut monter à votre grandeur !

Voyez : je suis comme une feuille
Qui roule et tourbillonne au vent ;
Un rêve las qui se recueille ;
Un lin desséché que l'on cueille
Et que l'on déchire souvent.

Sans savoir, d'indolence extrême,
Si l'on a marché sur mon cœur :

Brisé par une main qu'on aime,
Seigneur ! un cheveu de nous-mêmes,
Est si vivant à la douleur !

Au chemin déjà solitaire,
Où deux êtres unis marchaient,
Les voilà séparés... mystère !
On a jeté bien de la terre
Entre deux cœurs qui se cherchaient !

Ils ne savent plus se comprendre ;
Qu'ils parlent haut, qu'ils parlent bas,
L'écho de leur voix n'est plus tendre ;
Seigneur ! on sait donc mieux s'entendre,
Alors qu'on ne se parle pas ?

L'un, dans les sillons de la plaine,
Suit son veuvage douloureux ;
L'autre, de toute son haleine,
De son jour, de son aile pleine,
Monte ! monte ! et se croit heureux !

Voyez : à deux pas de ma vie,
Sa vie est étrangère à moi,
Pauvre ombre qu'il a tant suivie,
Tant aimée et tant asservie !
Qui mis tant de foi dans sa foi !

Moi, sous l'austère mélodie,
Dont vous m'envoyez la rumeur,
Mon âme soupire agrandie ;
Mon corps se fond en maladie
Et mon souffle altéré se meurt.

Comme l'enfant qu'un rien ramène,
L'enfant, dont le cœur est à jour,
Faites-moi plier sous ma chaîne ;
Et désapprenez-moi la haine,
Plus triste encore que l'amour !

Une fois, dans la nuit profonde,
J'ai vu passer votre lueur :
Comme alors, enfermée au monde,
Pour parler à qui me réponde,
Laissez-moi vous voir dans mon cœur !

Rendez-moi, Jésus que j'adore,
Un songe où je m'abandonnais :
Dans nos champs que la faim dévore,
J'expiais... j'attendais encore ;
Mais, j'étais riche et je donnais !

Je donnais et, surprise sainte :
On ne raillait plus ma pitié ;
Des bras du pauvre j'étais ceinte ;
Et l'on ne mêlait plus l'absinthe
Aux larmes de mon amitié !

Je donnais la vie au coupable,
Et le temps à son repentir !
Je rachetais à l'insolvable ;
Et pour payer l'irréparable,
J'offrais l'amour seul et martyr.

PAUVRES FLEURS (1839)

L'EGLISE D'ARONA

On est moins seul au fond d'une église déserte,
De son père inquiet c'est la porte entrouverte ;
Lui qui bénit l'enfant, même après son départ ;
Lui, qui ne dit jamais : « N'entrez plus, c'est trop tard »

Moi, j'ai tardé, Seigneur, j'ai fui votre colère,
Comme l'enfant qui tremble à la voix de son père,
Se dérobe au jardin tout pâle, tout en pleurs,
Retient son souffle et met sa tête dans les fleurs ;
J'ai tardé ! Retenant le souffle de ma plainte,
J'ai levé mes deux mains entre vous et ma crainte ;
J'ai fait la morte ; et puis, en fermant bien les yeux,
Me croyant invisible aux lumières des cieux,
Triste comme à Ténèbre au milieu de mon âme,
Je fuyais. Mais, Seigneur ! votre incessante flamme,
Perçait de mes détours les fragiles remparts,
Et dans mon cœur fermé rentrait de toutes parts !

C'est là que j'ai senti, de sa fuite lassée,
Se retourner vers vous mon âme délaissée ;
Et me voilà pareille à ce volage enfant,
Dépouillé par la ville, et qui n'a bien souvent,
Que ses débiles mains pour voiler son visage,
Quand il dit à son père : Oh ! que n'ai-je été sage !

BOUQUETS ET PRIÈRES (1843)

L'AME ERRANTE

(*Extrait*)

Je suis la prière qui passe
Sur la terre où rien n'est à moi ;
Je suis le ramier dans l'espace,
Amour, où je cherche après toi.
Effleurant la route féconde,
Glanant la vie à chaque lieu,
J'ai touché les deux flancs du monde
Suspendue au souffle de Dieu.

....

POÉSIES INÉDITES (1860)

LES SANGLOTS

Ah ! l'enfer est ici ; l'autre me fait moins peur :
Pourtant le purgatoire inquiète mon cœur.

On m'en a trop parlé pour que ce nom funeste
Sur un si faible cœur ne serpente et ne reste ;

Et quand le flot des jours me défait fleur à fleur,
Je vois le purgatoire au fond de ma pâleur.

S'ils ont dit vrai, c'est là qu'il faut aller s'éteindre,
O Dieu, de toute vie avant de vous atteindre !

C'est là qu'il faut descendre et sans lune et sans jour,
Sous le poids de la crainte et la croix de l'amour,

Pour entendre gémir les âmes condamnées,
Sans pouvoir dire : « Allez, vous êtes pardonnées ! »

Sans pouvoir les tarir, ô douleur des douleurs !
Sentir filtrer partout les sanglots et les pleurs ;

Se heurter dans la nuit des cages cellulaires
Que nulle aube ne teint de ses prunelles claires ;

Ne savoir où crier au sauveur méconnu :
« Hélas ! mon doux Sauveur, n'étiez-vous pas venu ? »

Ah ! j'ai peur d'avoir peur, d'avoir froid ; je me cache
Comme un oiseau tombé qui tremble qu'on l'attache.

Je rouvre tristement mes bras au souvenir...
Mais c'est le purgatoire et je le sens venir !

C'est là que je me rêve après la mort menée,
Comme une esclave en faute au bout de sa journée,

Cachant sous ses deux mains son front pâle et flétri,
Et marchant sur son cœur par la terre meurtri.

C'est là que je m'en vais au devant de moi-même,
N'osant y souhaiter rien de tout ce que j'aime.

Je n'aurai donc plus rien de charmant dans le cœur
Que le lointain écho de leur vivant bonheur.

Ciel ! où m'en irai-je ?
Sans pieds pour courir !
Ciel ! où frapperai-je ?
Sans clé pour ouvrir ?

Sous l'arrêt éternel repoussant ma prière
Jamais plus le soleil n'atteindra ma paupière,

Pour l'essuyer du monde et des tableaux affreux
Qui font baisser partout mes regards douloureux.

Plus de soleil ! Pourquoi ? Cette lumière aimée
Aux méchants de la terre est pourtant allumée.

Sur un pauvre coupable à l'échafaud conduit
Comme un doux : « Viens à moi ! » l'orbe s'épanche et luit.

Plus de feu nulle part ! Plus d'oiseaux dans l'espace !
Plus d'Ave Maria dans la brise qui passe.

Au bord des lacs taris plus un roseau mouvant,
Plus d'air pour soutenir un atome vivant.

Ces fruits que tout ingrat sent fondre sous sa lèvre,
Ne feront plus couler leur fraîcheur dans ma fièvre ;

Et de mon cœur absent qui viendra m'oppresser
J'amasserai les pleurs sans pouvoir les verser.

Ciel ! où m'en irai-je
Sans pieds pour courir ?
Ciel ! où frapperai-je
Sans clé pour ouvrir ?

Plus de ces souvenirs qui m'emplissent de larmes,
Si vivants que toujours je vivrais de leurs charmes ;

Plus de famille au soir assise sur le seuil,
Pour bénir son sommeil chantant devant l'aïeul ;

Plus de timbre adoré dont la grâce invincible
Eût forcé le néant à devenir sensible !

Plus de livres divins comme effeuillés des cieux ,
Concerts que tous mes sens écoutaient par mes yeux.

Ainsi, n'oser mourir quand on n'ose plus vivre,
Ni chercher dans la mort un ami qui délivre !

O parents ! pourquoi donc vos fleurs sur nos berceaux
Si le ciel a maudit l'arbre et les arbrisseaux ?

Ciel ! où m'en irai-je
Sans pieds pour courir ?
Ciel ! où frapperai-je
Sans clé pour ouvrir ?

Sans la croix qui s'incline à l'âme prosternée,
Punie après la mort du malheur d'être née !

Mais quoi, dans cette mort qui se sent expirer,
Si quelque cri lointain me disait d'espérer !

Si dans ce ciel éteint quelque étoile pâlie
Envoyait sa lueur à ma mélancolie !

Sous ses arceaux tendus d'ombre et de désespoir,
Si des yeux inquiets s'allumaient pour me voir !

Ah ! ce serait ma mère intrépide et bénie
Descendant réclamer sa fille assez punie !

Oui ! ce sera ma mère ayant attendri Dieu,
Qui viendra me sauver de cet horrible lieu,

Et relever au vent de la jeune espérance
Son dernier fruit tombé mordu par la souffrance.

Je sentirai ses bras si doux, si beaux, si forts,
M'étreindre et m'enlever dans ses puissants efforts ;

Je sentirai couler dans mes naissantes ailes
L'air pur qui fait monter les libres hirondelles,

Et ma mère en fuyant pour ne plus revenir
M'emportera vivante à travers l'avenir !

Mais, avant de quitter les mortelles campagnes,
Nous irons appeler des âmes pour compagnes.

Au fond du champ funèbre où j'ai mis tant de fleurs
Nous abattre aux parfums qui sont nés de mes pleurs ;

Et nous aurons des voix, des transports et des flammes,
Pour crier : « Venez-vous ! » à ces dolentes âmes.

« Venez-vous vers l'été qui fait tout refleurir
Où nous allons aimer sans pleurer, sans mourir !

Venez, venez voir Dieu ! nous sommes ses colombes ;
Jetez-là vos linceuls, les cieux n'ont plus de tombes ;

Le sépulcre est rompu par l'éternel amour :
Ma mère nous enfante à l'éternel séjour ! »

POÉSIES INÉDITES (1860)

LA COURONNE EFFEUILLÉE

J'irai, j'irai porter ma couronne effeuillée
Au jardin de mon père où revit toute fleur ;
J'y répandrai longtemps mon âme agenouillée :
Mon père a des secrets pour vaincre la douleur.

J'irai, j'irai lui dire, au moins avec mes larmes :
« Regardez, j'ai souffert... » il me regardera,
Et sous mes jours changés, sous mes pâleurs sans charmes,
Parce qu'il est mon père il me reconnaîtra.

Il dira : « C'est donc vous, chère âme désolée !
La terre manque-t-elle à vos pas égarés ?
Chère âme, je suis Dieu : ne soyez plus troublée ;
Voici votre maison, voici mon cœur, entrez ! »

O clémence ! ô douceur ! ô saint refuge ! ô Père !
Votre enfant qui pleurait vous l'avez entendu !
Je vous obtiens déjà puisque je vous espère
Et que vous possédez tout ce que j'ai perdu.

Vous ne rejetez pas la fleur qui n'est plus belle,
Ce crime de la terre au ciel est pardonné.
Vous ne maudirez pas votre enfant infidèle,
Non, d'avoir rien vendu, mais d'avoir tout donné.

POÉSIES INÉDITES (1860)

RENONCEMENT

Pardonnez-moi, Seigneur, mon visage attristé,
Vous qui l'aviez formé de sourire et de charmes ;
Mais sous le front joyeux vous aviez mis les larmes,
Et de vos dons, Seigneur, ce don seul m'est resté.

C'est le moins envié, c'est le meilleur peut-être :
Je n'ai plus à mourir à mes liens de fleurs.
Ils vous sont tous rendus, cher auteur de mon être,
Et je n'ai plus à moi que le sel de mes pleurs.

Les fleurs sont pour l'enfant, le sel est pour la femme ;
Faites-en l'innocence et trempez-y mes jours.
Seigneur, quand tout ce sel aura lavé mon âme,
Vous me rendrez un cœur pour vous aimer toujours !

Tous mes étonnements sont finis sur la terre,
Tous mes adieux sont faits, l'âme est prête à jaillir ;
Pour atteindre à ses fruits protégés de mystère
Que la pudique mort a seule osé cueillir.

O Sauveur ! Soyez tendre au moins à d'autres mères,
Par amour pour la vôtre et par pitié pour nous !
Baptisez leurs enfants de nos larmes amères,
Et relevez les miens tombés à vos genoux.

POÉSIES INÉDITES (1860)

BIBLIOGRAPHIE

ŒUVRES POÉTIQUES

EDITIONS ORIGINALES (1)

1819 ÉLÉGIES, MARIE ET ROMANCES
Paris, François Louis.

1820 POÉSIES
Paris, François Louis. Reproduit le texte de 1819 *à l'exclusion de* Marie, *nouvelle qui a été ajoutée à la* Veillée des Antilles *(cf. œuvres en prose).*

1822 POÉSIES
Paris, Théophile Grandin.

1825 ÉLÉGIES ET POÉSIES NOUVELLES
Paris, Ladvocat.

1830 POÉSIES
Paris, A. Boulland. 2 vol. Ce recueil ainsi que ceux de 1820, *de* 1822 *et de* 1825 *reproduisent le texte de l'édition de* 1819, *augmenté chaque fois de poèmes nouveaux.*

1830 ALBUM DU JEUNE AGE. A mes jeunes amis
Paris, A. Boulland. Choix de 38 *pièces destinées aux enfants, extraites de l'édition de* 1830. *2 vol.*

1833 LES PLEURS. Poésies nouvelles
Paris, Charpentier. Préface d'Alexandre Dumas.

1839 PAUVRES FLEURS
Paris, Dumont.

1840 CONTES EN VERS POUR LES ENFANTS
Lyon, Boitel.

---

(1) Il existe de toutes ces éditions des contrefaçons belges dont les textes sont, dans l'ensemble, complets et corrects.

1840 LE LIVRE DES MÈRES ET DES ENFANTS. Contes en vers et en prose
Lyon, Boitel. 2 *vol.*

1840 L'INONDATION DE LYON EN 1840
Paris, impr. C. Bajat (repris en 1843 *dans* Bouquets et Prières).

1842 POÉSIES, avec une notice par Sainte-Beuve (choix)
Paris, Charpentier.

1843 BOUQUETS ET PRIÈRES
Paris, Dumont.

1849 LES ANGES DE LA FAMILLE
Paris, Desesserts (réédité en 1854).

EDITIONS POSTHUMES ET REEDITIONS

1860 POÉSIES
Réédition du choix de 1842 *augmenté, avec une notice par Sainte-Beuve.*
Paris, Charpentier. Une 3e *édition de ce vol. a été publiée en* 1872.

1860 POÉSIES INÉDITES, publiées par Gustave Revilliod
Genève, Jules Fick.

1873 POÉSIES, publiées par G. Revilliod, précédées de notices par Sainte-Beuve, Emile Montégut et Caroline Olivier
Genève, J. Fick.
Même texte que celui de l'édition de 1860, *intitulée* Poésies Inédites.

1886 ŒUVRES POÉTIQUES
Paris, Lemerre. 3 *vol.*
Publiée par Auguste Lacaussade avec le concours d'Hippolyte Valmore, cette édition est incomplète. Nombre de poésies manquent. Parmi celles qui sont publiées, certaines ont été censurées et amputées de vers et de strophes.
Un 4e *vol. intitulé* Reliquae, *complétant en partie les vol. précédents, a été publié par Boyer d'Agen, en* 1922.

1896 POÉSIES EN PATOIS
Douai, chez tous les libraires.

1921 ŒUVRES MANUSCRITES DE M.D.V. ALBUMS A PAULINE, publiées par Boyer d'Agen avec une notice de B. Rivière
Paris, Lemerre. Poésies transcrites d'après les albums conservés à la bibliothèque de Douai, elles ont déjà paru dans les recueils de Marceline mais avec certaines variantes. Quelques pièces inédites.

1928 **ROMANCES INÉDITES**, recueillies par Bertrand Guégan
Paris, Collection des Parallèles.

1931 **POÉSIES COMPLÈTES**, publiées par Bertrand Guéguan avec des notes et des variantes
Paris, éd. du Trianon. 2 vol. Edition inachevée.

PRINCIPAUX RECUEILS DE CORRESPONDANCE

1896 **CORRESPONDANCE INTIME**, publiée par B. Rivière
Paris, Lemerre. 2 vol.

1911 **LETTRES INÉDITES**, recueillies et annotées par son fils Hippolyte Valmore avec une préface de Boyer d'Agen et des notes d'A. Pougin
Paris, Louis Michaud.

1924 **LETTRES DE M.D.V. A PROSPER VALMORE**, préface et notes par Boyer d'Agen
Paris, Ed. de la Sirène. 2 vol.

1932 **LE FRÈRE DE MARCELINE**. Lettres à Félix Desbordes publiées par Lucien Descaves
Paris, Arthème Fayard.
On trouvera en outre de nombreuses lettres de D.V. dans les biographies de la poétesse que nous citons plus loin (celles de Sainte-Beuve, de Pougin, de Descaves, de Vial, de Boulenger), dans le Sainte-Beuve inconnu *de Spoelberck de Lovenjoul ainsi que dans des revues parisiennes, lyonnaises et bordelaises.*

PRINCIPALES ŒUVRES EN PROSE

EDITIONS ORIGINALES (1)

1821 **LES VEILLÉES DES ANTILLES**
Paris, François Louis. 2 vol. (nouvelles).

1833 **UNE RAILLERIE DE L'AMOUR**
Paris, Charpentier (roman).

---

(1) Dont il existe des contrefaçons belges.

1833 L'ATELIER D'UN PEINTRE. Scènes de la vie privée
Paris, Charpentier, 2 vol. (roman).

1834 LE LIVRE DES PETITS ENFANTS
Paris, Charpentier. 2 vol. (contes), réédité par Bonneville, en 1855, *sous le titre* Jeunes têtes et jeunes cœurs.

1836 LE SALON DE LADY BETTY. Mœurs anglaises
Paris, Charpentier. 2 vol. (nouvelles).

1839 VIOLETTE
Paris, Dumont. 2 vol. (roman historique).

1840 CONTES EN PROSE POUR LES ENFANTS
Lyon, Boitel.

1845 HUIT FEMMES
Paris, Chlendowsky. 2 vol. (nouvelles).

EDITIONS POSTHUMES

1865 CONTES ET SCÈNES DE LA VIE DE FAMILLE
Paris, Garnier. Ed. collective réunissant tous les contes pour enfants de M.D.V. ; ceux du Livre des petits enfants, *des* Anges de la famille *et 8 contes nouveaux.*

1910 FRAGMENT D'ALBUM INÉDIT
Notes prises au cours du voyage en Italie de 1838, *publiées par B. Rivière dans Le Mercure de France,* 1910.

PRINCIPAUX OUVRAGES ET ARTICLES
CONCERNANT
MARCELINE DESBORDES-VALMORE (1)

ALLEM (M.) :
Introduction et notes pour Poésies choisies, *Paris, Garnier*, 1935.
— Portrait de Sainte-Beuve, *Paris, Albin Michel*, 1954, *pp.* 157-170.

ANCELOT (J.) :
Poésies de Marceline Desbordes-Valmore, « *Annales de la Littérature et des Arts* », 1821.

BALZAC (H.) :
Correspondance, *Paris, Calmann-Lévy*, 1876, *pp.* 343 *et* 572.

BALDE (J.) :
Marceline Desbordes-Valmore et le Romantisme à Bordeaux, « *Nouvelles Littéraires* », *6 décembre* 1924.

BANVILLE (Th. de) :
Les Camées parisiens, *Paris, R. Pincebourde*, 1866, 2e *série, pp.* 107-108.

BARBEY d'AUREVLLY :
Les Œuvres et les Hommes, *Paris, Amyot*, 1862, 3e *série, pp.* 146-158.

BARBIER (Aug.) :
Souvenirs personnels et silhouettes contemporaines, *Paris, Dentu*, 1833, *pp.* 336-345.

BAUDELAIRE (Ch.) :
L'Art romantique, *Lausanne, La Guilde du Livre*, 1950, *pp.* 281-285.

BEAUNIER (A.) :
Visages de Femmes, *Paris, Plon*, 1913, *pp.* 256-291.

BERTAUT (J.) :
Les Jours heureux d'Ondine Valmore, « *Figaro Littéraire* », 4 *sept.* 1954.

---

(1) Aucune bibliographie complète des ouvrages consacrés totalement ou partiellement à Marceline Desbordes-Valmore n'ayant paru, je me suis efforcée d'en regrouper les premiers éléments.

BIÉ (Mad.) :
Quelques-uns de la France, *Paris, Gautier et Languereau*, 1944, *pp.* 213-224.

BILLY (A.) :
Sainte-Beuve. Sa vie et son temps, *Paris, Flammarion*, 1952, *t. I, pp.* 408-418, *t. II, pp.* 44-46.

BLÉTON (A.) :
Madame Desbordes-Valmore à Lyon, *Lyon, Alex. Rey*, 1896.

BONNEFON (P.) :
Henri de Latouche et George Sand, « *Revue d'Histoire Littéraire de la France* », *avril-juin* 1919.

BONNEROT (J.) :
Un Rêve d'amour en 1845. *Sainte-Beuve et Ondine Valmore*, « *Mercure de France* », 15 *sept.* 1932.

BOUILLAT (J.) :
Madame Desbordes-Valmore, *Paris, Les Contemporains* (*s.l.*) (*n.d.*)

BOULENGER (Jacques) :
Le Mari de Madame Desbordes-Valmore, « *Revue de Paris* », 1er *juil.* 1909.
— Ondine Valmore, *Paris, Dorbon*, 1909.
— Marceline Desbordes-Valmore. *D'après ses papiers inédits, Paris, Arthème Fayard*, 1909.
— Marceline Desbordes-Valmore. Sa vie et son secret, *Paris, Plon*, 1926.

BOURGEOIS (Mme G.) :
Marceline Desbordes-Valmore à la Guadeloupe, *Fédération des Associations du Département de la Guadeloupe*, 1948.

BOYER D'AGEN :
Les Manuscrits de Marceline, « *Mercure de France* », 1er *août* 1921.
— Lamartine et Marceline Desbordes-Valmore, « *Le Figaro* », 4 *juin* 1922.
— Les Amitiés littéraires de Desbordes-Valmore, *Paris, Lemerre*, 1922.
— *Préface et notes pour* L'Atelier d'un Peintre, *Paris, N.R.F.*, 1922.
— Marceline Desbordes-Valmore et Henri de Latouche, « *Le Figaro* », 24 *nov.* 1923.
— *Introduction pour* Les Greniers et la Guitare de Marceline (*Choix*), *Paris, Seheur*, 1931.

BROC (Vte de) :
Les Femmes auteurs, *Paris, Plon*, 1911, *pp.* 89-92.

BRONNE (C.) :
Esquisses au crayon tendre, *Bruxelles, Ch. Dessart*, 1942, *pp.* 45-61.

CAPLAIN (Alb.) :
Les Cahiers d'Ondine Valmore, *avec une introduction et des notes, Paris, Ch. Bosse*, 1932.

CAVALUCCI (G.) :

Bibliographie critique de Marceline Desbordes-Valmore, *d'après des documents inédits, Paris, Alph. Margraff,* 1942, *t. I : Poésie, t. II : Prose et correspondance.*

CHARLIER (G.) :

Madame Desbordes-Valmore et Giacomo Leopardi, « *Rivista di Letterature moderne* », *janvier* 1951.

CHARPENTIER (John) :

La Galerie des Masques, *Paris, Figuière,* 1920, *pp.* 15-16.

CLARETIE (L.) :

Une Poétesse wallonne : Marceline Desbordes-Valmore, « *L'Etoile Belge* », 20 *août* 1896.

COLSON (O.) :

Poésies (*Choix*), *Berlin, Internationale Bibliothek,* 1923.

CORNE (M.H.) :

La Vie et les Œuvres de Madame Desbordes-Valmore, *Paris, Hachette,* 1876.

COURTEAULT (P.) :

Madame Desbordes-Valmore à Bordeaux, « *La Revue historique de Bordeaux* », *mars-avril et mai-juin* 1923.

DAUDET (Mme Alph.) :

Souvenirs autour d'un groupe littéraire, *Paris, Fasquelle,* 1910, *pp.* 26-33.

DELPIT (E.) :

Le Monument de Marceline Desbordes-Valmore, *Souvenir de la fête d'inauguration du* 13 *juillet* 1896. (*Discours de R. de Montesquiou, A. France, etc...*), *Douai, Impr. Crépin,* 1896.

DESCAVES (Lucien) :

La Vie douloureuse de Marceline Desbordes-Valmore, *Paris, Ed. d'Art et de Littérature,* 1910.
— La Vie amoureuse de Marceline Desbordes-Valmore, *Paris, Flammarion,* 1925.
— *Notices pour* Poésies (*choix*), *Lyon, Lardanchet,* 1927.
— Le Frère de Marceline, *Paris, Les Œuvres Libres, Fayard,* 1932.

DESPLANTES (Fr.) :

Les Françaises à travers les lettres et les arts, *Limoges, Eug. Ardant,* 1890, *pp.* 91-95.

DORCHAIN (Aug.) :

Notice pour Les Chefs-d'Œuvres lyriques : Marceline Desbordes-Valmore, *Paris, Perche,* 1909.

DU BOS (M.) :
Quelques portraits contemporains de Marceline Desbordes-Valmore, « *L'Illustration* », *29 avril* 1933.

DUMAS (Alex.) :
Mes Mémoires, *Paris, Michel Lévy*, 1863, *t. IV, pp.* 244-247.
— *Préface pour* Les Pleurs, *Paris, Charpentier*, 1833.

DUMAS (André) :
Préface pour Choix de Poésies, *Paris, Fasquelle*, 1933.

FÉTIS (Ed.) :
Madame Desbordes-Valmore et Van Campenhout, « *L'Indépendance Belge* », *20 et 27 août et 3 sept.* 1893.

FORMONT (M.) :
Notice pour Choix de Poésies, *Paris, Lemerre*, 1928.

FORTAGE (Louis de Bordes de) :
Lettres Inédites d'Alfred de Vigny, *Bordeaux, Picamilh*, 1913.

GAY (Sophie) :
Poésies de Mme Desbordes-Valmore, « *Revue Encyclopédique* », *Oct.* 1820.

GIRAUD (V.) :
Pastels Féminins, *Paris, Hachette*, 1939, *pp.* 128-145.

GOHIN (Ferd.) :
Introduction à Poésies, *Paris, Garnier*, 1925.

GONCOURT (E. et J. de) :
Journal, *Paris, Fasquelle*, 1896, *t. IX*.

GROSCLAUDE (P.) :
Sainte-Beuve et Marceline Desbordes-Valmore. *Histoire d'une amitié, Paris, Ed. de la Revue Moderne*, 1948.

GUILLEMOT (M.) :
Au Temps de Marceline, « *Le Figaro* », *28 janv.* 1912.

HALLAYS (A.) :
Sainte-Beuve et Ondine Valmore, *Saint-Denis, Impr. Bouillant*, 1904.

HENRIOT (E.) :
Livres et portraits, *Paris, Plon*, 1925, *pp.* 175-181.
— D'Héloïse à Marie Bashkirtseff. *Portraits de femmes, Paris, Plon*, 1935, *pp.* 166-179.

HEYLLI (G. d') :
Un projet de mariage de Sainte-Beuve, « *Gazette Anecdotique* », 31 *janv.* 1889.
— La Fille de George Sand. *Paris, Impr. Davy*, 1900, *pp.* 101-108.

HOUVILLE (G. d') :
A propos de Marceline Desbordes-Valmore, « *Les Nouvelles Littéraires* », 5 *fév.* 1927.

HUGO (Victor) :
Poésies de Madame Desbordes-Valmore, « *Le Conservateur littéraire* », *fév.* 1821.

ISNARDON (J.) :
Le Théâtre de la Monnaie, *Bruxelles, Schott*, 1890.

JACQUINET (P.) :
Les Femmes de France, *Paris, E. Belin*, 1886, *pp.* 489 *et suiv.*

JAMMES (Fr.) :
Leçons poétiques, *Paris, Mercure de France*, 1930, *pp.* 245-255.

LACCASSAGNE (Dr J.) :
Ondine Valmore lyonnaise, « *Albums du Crocodile* », 1948.

LACAUSSADE (Aug.) :
Préface pour Œuvres poétiques de Marceline Desbordes-Valmore, *Paris, Lemerre*, 1886.

LARNAC (J.) :
Histoire de la Poésie féminine en France, *Paris, Kra*, 1929, *pp.* 197-201.

LASSERRE (P.) :
Portraits et Discussions, *Paris, Mercure de France*, 1914, *pp.* 83-92.

LATOUR (Ant. de) :
Les Femmes poètes au XIXe siècle : *Mme Desbordes-Valmore*, « *Revue de Paris* », 18 *déc.* 1836.

LATREILLE et ROUSTAN :
Marceline Desbordes-Valmore et Collombet, « *Revue d'histoire de Lyon* », *juil.-août* 1902.

LECIGNE (C.) :
Madame Desbordes-Valmore, « *La Revue de Lille* », *août* 1905.
— Pèlerinages de Littérature et d'Histoire, *Paris, Lethilleux*, 1913, *pp.* 243-248.

LE DANTEC (Y.G.) :
Introduction, biographie sommaire et bibliographie pour Poèmes Choisis *de Marceline Valmore, Paris, Hazan*, 1950.

LEFÈBVRE (L.) :
Le Théâtre de Lille au XVIIIe siècle, *Lille, Lefèbvre*, 1894, *pp.* 110-114.

LEMAITRE (J.) :
Les Contemporains, *Paris, Sté fse d'Impr. et de Lib.*, 1899, 7e *série*, *pp.* 1-46.

LOLLIÉE (Fred.) :

Ondine Desbordes-Valmore, « *Revue Bleue* », 20 *juin* 1896.

— Marceline Desbordes-Valmore et sa correspondance, « *La Revue Encyclopédique* », 18 *juin* 1898.

— *Etude et Notices pour* Œuvres Choisies, *Paris, Delagrave*, 1909.

MARSAN (J.) :

Marceline Desbordes-Valmore et G. Charpentier. *Lettres inédites*, « *Mercure de France* », 15 *avril* 1921.

MONKIEWICZ (B) :

Verlaine, critique littéraire, *Paris, Messein*, 1928, *pp.* 109 *et suiv.*

MONTÉGUT (E.) :

Portraits poétiques : Mme Desbordes-Valmore, « *Revue des Deux Mondes* ». 15 *déc.* 1860.

— Esquisses Littéraires, *Paris, Hachette*, 1893, *pp.* 3-36.

MONTESQUIOU (R. de) :

Félicité. *Etude sur la poésie de Marceline Desbordes-Valmore, Paris Lemerre*, 1894.

— Autels privilégiés, *Paris, Charpentier*, 1899, *pp.* 5-82.

PILON (E.) :

Portraits français (*XVII*e, *XVIII*e *et XIX*e *S.*), *Paris, E. Sansot*, 1906, *pp.* 157 *à* 161.

Amours mortes, belles amours, *Paris, Plon*, 1925, *pp.* 216-239.

PLESSIS (M.) :

Notice et notes pour Poésies Choisies, *Paris, Hattier*, 1926.

POTEZ (H.) :

La Vie intérieure de Marceline Desbordes-Valmore, « *Revue de Paris* », 1er *oct.* 1897.

POUGIN (A.) :

La Jeunesse de Madame Desbordes-Valmore. *D'après des documents nouveaux, suivie de lettres inédites de Marceline Desbordes-Valmore, Paris, Calmann Lévy*, 1898.

PRAVIEL (A.) :

Le Roman conjugal de Monsieur Valmore, *Paris, Les Editions de France*, 1937.

ROBERT (P.) :

Les Poètes du XIXe siècle, *Paris, Juven, s.d., pp.* 171-183.

RODENBACH (G.) :

L'Elite, *Paris, Charpentier*, 1899, *pp.* 109-119.

RUDE (F.) :

C'est nous les Canuts, *Paris, Domat*, 1953, *pp.* 268-272.

SAINTE-BEUVE :
Notice pour Poésies de Madame Desbordes-Valmore, *Paris, Charpentier*, 1842.
— Madame Desbordes-Valmore. Sa vie et sa correspondance, *Paris Michel Lévy*, 1870.
— Portraits contemporains, *Paris, Calmann Lévy*, 1890, *t. II, pp.* 91-157.
— Causeries du Lundi, *Paris, Garnier*, 1926, *t. XIV, pp.* 405-416.
— Nouveaux Lundis, *Paris, Michel Lévy*, 1870, *t. XII, pp.* 134 *et suiv.*
— Lettres inédites à Collombet, *Paris, Sté Fse d'Impr. et de Libr.*, 1903.
— Correspondance inédite avec M. et Mme Juste Olivier, *Paris, Mercure de France*, 1904.

SCHÉRER (E.) :
Marceline Desbordes-Valmore, « *Le Temps* », 1er *déc.* 1873.

SÉCHÉ (Alph.) :
Notices biographique et bibliographique pour L'Amour, l'Amitié, les Enfants. *Mélanges, Paris, Michaud*, 1910.

SÉCHÉ (L.) :
Sainte-Beuve et Ondine Valmore, *d'après des documents inédits*, « *Revue Bleue* », 25 *oct.* 1902.

SÉGU (F.) :
H. de Latouche (1785-1851), *Paris, Société d'Edition les Belles Lettres*, 1931, *pp.* 25-42, 368-376 *et* 545-571.

SESMA (M.) :
Le Secret de Marceline Desbordes-Valmore, « *Albums du Crocodile* », 27 *oct.* 1945.

SOUDAY (P.) :
La Vie amoureuse de Marceline, « *Le Temps* », 29 *oct.* 1925.

SPOELBERCH de LOVENJOUL (Vte de) :
Sainte-Beuve inconnu, *Paris, Plon*, 1901, *pp.* 187-244.

STROWSKI (F.) :
Marceline Desbordes-Valmore. *A propos de publications récentes*, « *Le Correspondant* », 25 *mai* 1912.

VAN BEVER (A.) :
Méditation sentimentale sur Marceline Desbordes-Valmore, *Paris, Bibl. de l'Association*, 1896.

VÉRITÉ (L.) :
Un Episode peu connu de la vie de Marceline Desbordes-Valmore, *d'après une lettre inédite, Douai*, 1896.

VERLAINE (P.) :
A propos de Desbordes-Valmore, « *Le Figaro* », 8 *août* 1894.
— Poèmes de Flandre et d'Artois, « *La Revue du Nord* », *janv.-juin* 1896.
— Les Poètes maudits, *Paris, Messein*, 1949, *pp.* 53-71.

VIAL (Eug.) et MARIÉTON (P.) :
Marceline Desbordes-Valmore et ses amis lyonnais, *Paris, La Connaissance*, 1923.

VINCENT (R.) :
Introduction et choix pour Marceline Desbordes-Valmore, *Paris et Fribourg, Egloff*, 1947.

VINET (A.) :
Etudes sur la littérature française au XIXe siècle, *Paris, chez les Editeurs*, 1857, *t. II, pp.* 432-439.

VRANCKEN (G.) :
Le « jeune homme » de Marceline, *« Revue de Belgique », mai* 1910.

WARENGHIEN (baron de) :
Souvenirs et fragments (1851-1920), *Paris, Plon*, 1925, *pp.* 148-190.

ZWEIG (Stefan) :
Marceline Desbordes-Valmore, *Paris, Ed. Nouvelle Revue Critique*, 1928.
— Souvenirs et rencontres, *Paris, Grasset*, 1951, *pp.* 181-268.

TABLE DES MATIÈRES

CHOIX DE POEMES

MATERNITÉ

AMITIÉ

L'AMOUR DES HUMAINS

LA MORT ET DIEU

TABLE DES ILLUSTRATIONS

ACHEVÉ D'IMPRIMER EN JUIN 1959
SUR LES PRESSES DE L'I. F. M. R. P.
4, RUE CAMILLE-TAHAN A PARIS

N° d'ordre éditeur. 832
Dépôt légal 2e trimestre 1959
Imprimé en France